Auf frischer Tat ertappt

Erzählt von Kirsten Vogel
Nach Motiven von Stefan Wolf

KOSMOS

Umschlag- und Innenillustrationen von COMICON S. L. / Beroy+San Julian
Umschlaggestaltung: Weiß-Freiburg GmbH

TKKG Junior, Auf frischer Tat ertappt, erzählt von Kirsten Vogel
Nach einem Hörspiel von Frank Gustavus nach Motiven von Stefan Wolf
© 2018, SONY MUSIC Entertainment Germany GmbH

TKKG Junior ist eine eingetragene Marke der SONY MUSIC Entertainment Germany
GmbH

Unser gesamtes lieferbares Programm und viele
weitere Informationen zu unseren Büchern,
Spielen, Experimentierkästen, DVDs, Autoren und
Aktivitäten findest du unter **kosmos.de**

Gedruckt auf chlorfrei gebleichtem Papier

© 2018, Franckh-Kosmos Verlags-GmbH & Co. KG, Stuttgart
Alle Rechte vorbehalten.
ISBN 978-3-440-16017-6
Redaktion: Anja Herre und Anne Pagel
Grundlayout und Satz: DOPPELPUNKT, Stuttgart
Produktion: Verena Schmynec
Druck und Bindung: Finidr, s.r.o., Český Těšín
Printed in Czech Republic / Imprimé en République tchèque

Inhalt

Parole

»Drei am Freitag und drei am Samstag! Alle im Villenviertel.« Karl lief zum Schuppen und klopfte an die
Holztür.

Tim kam angerast und legte eine Vollbremsung
an der Gartenhecke hin. »Sprecht ihr von der Einbruchserie?« Als er sein Rad anlehnte, entdeckte er
einen Ball im Gebüsch.

»Ja, das kam sogar im Radio.« Klößchen wollte Tim
die Gartenpforte öffnen, aber der war schon über die
Hecke gesprungen und kickte ihm den Ball zu.

Er flog auf Klößchen zu, der nahm an und schoss
zu Karl. Doch Karl sah nicht hin. Der Ball schepperte
gegen die Tür des Schuppens, direkt neben seinen
Kopf.

»Oh!« Klößchen lief zu Karl.

»Zum Glück hast du nicht getroffen«, lachte Karl
und klopfte wieder an die Tür. »Warum macht sie
denn nicht auf?«

Klößchen wischte sich den Schweiß von der Stirn. »Ich arbeite noch an meinem Ballgefühl.«

Oskars Bellen drang aus dem Schuppen nach draußen und wo Oskar war, da musste auch Gaby sein.

Jetzt hämmerte Klößchen gegen die Tür. »Gaby, mach mal bitte auf, ich brauche dringend Schatten!«

Nichts passierte.

»Nicht, dass unser Klößchen noch zerfließt!« Karl klopfte noch mal. »Gaby Glockner – könnten Sie uns bitte reinlassen?«

Die kleine, verfallene Hütte befand sich im hinteren Teil von Glockners Garten.

»Lass mich mal.« Tim klopfte einmal lang, einmal kürzer und zweimal sehr kurz.

»Parole?«, war Gabys Stimme nun von drinnen zu hören.

»TKKG«, flüsterte Tim verschwörerisch.

Prompt öffnete sich die Tür und Gaby lugte heraus. »Wir haben schon auf euch gewartet.«

Oskar schlängelte sich durch den Türspalt und sprang dem Ball hinterher.

»Hey, Gaby!« Klößchen drängelte sich an allen vorbei und ließ sich auf den Sessel plumpsen.

Tim begrüßte Gaby und Oskar und fischte ein Leckerli aus seiner Tasche. Oskar schnappte es sich und verzog sich damit unter das zerfranste Sofa.

Karl und Gaby klatschten sich ab.

Klößchen wedelte sich mit der Hand Luft zu. »Seit wann haben wir denn eine Parole? Das haben wir gar nicht besprochen.«

»Wenn man zu einer geheimen Truppe gehört, so wie wir, braucht man ein Kennwort«, erklärte Tim und holte eine Flasche aus seinem Rucksack.

»Und wer die Parole nicht kennt, wird nicht reingelassen.« Karl drehte sich zu Gaby. »Sag mal, weiß dein Vater was über die Einbrüche?«

»Die im Villenviertel?« Gaby überlegte. »Bestimmt.«

»Du darfst nicht drüber sprechen, richtig?« Tim warf seinen Rucksack auf den Stuhl.

»Ich weiß nur, dass die Einbrüche immer zwischen acht und elf Uhr abends waren. Mein Vater ermittelt (Gabys Vater, Herr Glockner, war Kriminalkommissar), aber die Polizei tappt noch im Dunkeln.«

Karl griff in Tims Rucksack und zupfte einen weißen Anzug heraus. »Ist das unsere neue Undercover-Einsatzkleidung?«

»Nein, mein Judo-Anzug. Heute ist ›Tag der offenen Tür‹ im Verein, da will ich gleich noch hin.« Tim nahm einen Schluck aus seiner Flasche und stopfte sie mit dem Judo-Anzug zurück in den Rucksack.

»Sport bei der Hitze? Selbst die Tour mit dem Rad hierher war die Hölle.« Klößchen wischte sich den Schweiß von der Stirn. »Ich schmelze schon.«

»Nicht nur du! Schau mal – deine Hose.« Tim schmunzelte. Gaby musste kichern.

Klößchen schaute auf seine helle Hose hinunter. In

Höhe der linken Hosentasche war ein großer, brauner Fleck zu sehen. »Oh Mist! Das war mein Notvorrat!« Er griff in die Tasche und zog dann seine schokoladenverschmierten Finger wieder hervor.

Karl kräuselte die Stirn. »Schokolade steckt man ja auch nicht ohne Papier in die Hosentasche.«

»Mit Papier aber auch nicht.« Grinsend hielt Tim Klößchen seine Judo-Hose hin. »Hier, die kannst du haben. In meinem Spind habe ich noch eine Nothose.«

»Sieht schön luftig aus.« Klößchen verschwand in einer Ecke des Schuppens und begann, sich umzuziehen. »Wollen wir jetzt ins Freibad und da auf Tim warten?«

»Ich dachte, ihr kommt mit zum ›Tag der offenen Tür‹?« Tim setzte seinen Rucksack auf.

»Ich finde Judo cool.« Gaby leinte Oskar an. »Schwimmen gehen können wir auch später noch.«

»Oh nee.« Klößchen sah Karl flehend an. »Kommst *du* wenigstens mit ins Freibad?«

»Ich würde gern ein bisschen was über Judo lernen«, gab Karl zu. (Er ging mit den anderen drei in die Klasse 5b der Internatsschule und lernte einfach für sein Leben gern.)

»Überstimmt, Klößchen.« Tim lief aus dem Schuppen. »Komm, das wird bestimmt lustig.«

»Ich hatte mir unseren freien Tag irgendwie anders vorgestellt!« Klößchen stopfte die Schokoladenhose in seinen Rucksack. »Na gut. Aber bitte nicht so schnell, Tim!«

»Okay, dann los zur Sporthalle!«, rief Tim und schwang sich auf sein Fahrrad.

Wenn die Freunde zusammen unterwegs waren,

steckten sie mindestens genauso schnell in einem Abenteuer, wie Tim rasen konnte (und Tim war einfach der Schnellste!).

Wissen ist Macht

»Da vorne, das ist mein Trainer! Sven Winter.«
Tim zeigte auf einen Mann (den Karl auf ungefähr
dreißig schätzte).»Er ist echt cool. Und sein Vater
hat bei der Olympiade 1984 die Goldmedaille im
Judo-Schwergewicht gewonnen.« Tim lief in die
Umkleide und öffnete seinen Spind.»Hier könnt ihr
eure Rucksäcke reinstellen.« Schnell zog Tim seine
weiße Judo-Kluft an.

»Starkes Outfit«, staunte Gaby.»Steht dir!«

»Welchen Gürtel hast du eigentlich?«, fragte Karl.

Tim band sich einen orangefarbenen Gürtel um.
»Ich bekomme hoffentlich bald den grünen.«

Ein Mädchen steckte den Kopf durch die Tür.
»Hey, Mädels dürfen nicht in die Jungsumkleide!«,
rief sie Gaby zu.

»Und was machst du dann hier?«, konterte Gaby.

»Ich suche Tim. Wir haben doch jetzt unseren
Auftritt.«

»Auftritt?« Karl zog die Stirn in Falten.

Tim grinste. »Kommt mal mit.«

Die Freunde folgten Tim und dem Mädchen in eine kleine Sporthalle, in deren Mitte große Sportmatten lagen. Eltern und Kinder hatten sich auf Bänke und kleinere Matten verteilt.

Tim hockte sich auf eine der Sportmatten neben das Mädchen.

»Hallo, schön, dass ihr alle da seid«, begrüßte Tims Trainer die Zuschauer. »Das sind Lise und Tim. Sie zeigen euch jetzt ein paar einfache Judo-Grundlagen. Mokuso!«

»Hä?«, flüsterte Klößchen Karl zu (der ein wandelndes Lexikon, Sprachwörterbuch und Rechenmaschine gleichzeitig war).

»Augen zu!«, flüsterte Karl.

Klößchen schloss die Augen. »Warum?«

Karl musste lachen. »Doch nicht du.«

»Beim Judo schalten wir zuerst die Welt um uns herum aus und konzentrieren uns aufs Wesentliche«, erklärte der Trainer den Zuschauern.

Tim und Lise schlossen die Augen und verbeugten sich voreinander.

»Und dann geht es darum, den Gegner zu Fall zu bringen. Lise und Tim führen euch die einfachsten Techniken zuerst vor.«

Lise ging auf Tim zu, stellte ihr Bein hinter seines und schob ihn darüber. Tim landete rückwärts auf der Matte und rollte sich gekonnt ab.

Das Publikum applaudierte.

Nun brachte Tim Lise zu Fall.

»Die werfen sich ja die ganze Zeit nur um«, kommentierte Klößchen überrascht.

»Judo ist eine japanische Kampfsportart, deren Prinzip maximale Wirkung bei einem Minimum an Aufwand ist«, erklärte Karl. Gespannt beobachtete er, wie Lise Tim von hinten auf die Schulter zog.

»Cool«, staunte Gaby. »Sieht aus wie Huckepack.«

»Oder Kartoffelsack«, lachte Klößchen.

Im selben Moment zog Lise Tim über die Schulter. Kopfüber rollte er sich vorne wieder ab und kam in den Stand.

»Autsch!« Klößchen verzog das Gesicht.

»Siegen durch Nachgeben«, sagte Karl fasziniert.

Klößchen schüttelte den Kopf. »Also für mich sieht es nach Umfallen durch Beinstellen aus. Und maximale Wirkung bei einem Minimum an Aufwand klingt für mich eher nach Freibad.«

»Wer möchte es mal versuchen?«, schallte plötzlich die Stimme des Trainers durch die Halle.

Karl kratzte sich am Kopf und versuchte, unauffällig auszusehen. Er sah zu Klößchen. Der hatte sich auf eine Bank gesetzt und den Kopf in die Hände gestützt.

Gaby meldete sich. »Ich würde gern!«

»Schön!« Sven Winter sah sich um und zeigte dann auf Klößchen. »Du dahinten, du bist ja auch schon passend angezogen.«

»Ich?« Klößchen sah überrascht an sich hinunter.

»Ja klar, komm!« Schon zog Lise Klößchen hinter sich her. »Und du auch.« Ehe Karl sich wehren konnte, stand auch er auf der Matte.

»Ist das ein abgekartetes Spiel?«, raunte er Tim zu. Der lächelte nur.

Gaby zog sich die Socken aus. »Ach kommt, ist doch lustig.«

»So, dann mal Applaus für unsere drei Helden.« Sven Winter klatschte in die Hände, genauso wie die Zuschauer. »Wir starten mit dem Verbeugen.«

Karl verneigte sich steif. Klößchen verbeugte sich in Richtung der Zuschauer. Karl lachte. »Du sollst dich vor deinem Gegner verbeugen.«

»Du hast den Kampf gewonnen, wenn dein Gegner auf der Matte liegt. Wir üben jetzt das Vorwärtsfallen«, erklärte der Trainer. »Tim und Lise zeigen es euch.« Lise nickte den dreien zu.

Tim ließ sich mit Schwung nach vorne fallen und rollte über die rechte Schulter ab.

»Cool, eine Mischung aus Salto und Vorwärtsrolle.« Gaby hatte den Dreh schnell raus, während Klößchen eher einen Purzelbaum machte.

Karl stand unschlüssig da. Dann entdeckte er Kommissar Glockner am Eingang der Halle. »Guck mal, Klößchen, dahinten ist Gabys Vater.«

»Will er etwa Judo lernen?«, überlegte Klößchen. »Hmmm, vielleicht ist es echt ganz hilfreich, wenn man jemanden überwältigen will.«

Plötzlich griff Lise Klößchens Oberarme, stellte ihr Bein hinter seines und drückte ihn nach hinten.

»Ey, was sollte das denn?«, motzte Klößchen, nachdem er mit dem Po auf der Matte gelandet war.

Ehe Karl sich's versah, lag auch er am Boden.

Tappen im Dunkeln

Karl rappelte sich wieder auf. »Sie kann mich zwar zu Boden werfen, aber über meinen Geist hat sie keine Macht.« Er rückte seine verrutschte Brille gerade.

Da stellte Gaby plötzlich ihr Bein hinter seine Beine und stieß ihn um. Dieses Mal gelang es Karl, nach dem Abrollen sofort wieder auf die Füße zu kommen.

»Sehr gut, Gaby!«, hallte die Stimme von Gabys Vater ihnen entgegen.

»Mensch, Papi, was machst denn du hier?« Gaby fiel ihrem Vater um den Hals und versuchte den gleichen Trick wie bei Karl. Aber Herr Glockner stand wie ein Baum.

»Ich habe den goldenen Gürtel.« Er lachte. »Mich wirft nichts so leicht um. Aber sag mal, was macht ihr denn hier?«

»Wir gucken uns Tims Verein an. Und was machst du hier, Papi?«

»Ich muss mit Sven Winter sprechen. Wisst ihr, wer das ist?«

Tim zeigte auf den Trainer. »Dahinten. Das ist er!«

»Super, danke!« Glockner winkte und verschwand.

»Wollen wir jetzt endlich ins Freibad?«, stöhnte Klößchen. Niemand beachtete ihn. Gaby ließ sich von Tim zeigen, wie man rückwärts fällt, ohne sich zu verletzen, und Karl beobachtete neugierig Kommissar Glockner. Klößchen seufzte und hockte sich missmutig auf eine Bank.

Als die meisten Besucher gegangen waren, trommelte der Trainer seine Judo-Schüler zusammen.

»Bei mir wurde am Wochenende eingebrochen. Die olympische Goldmedaille meines Vaters wurde gestohlen. Keiner wusste, dass sie im Keller in der Pralinenpackung war – außer euch.«

Kommissar Glockner kam dazu. »Wir müssen allen Spuren nachgehen. Möglicherweise hängt dieser Diebstahl mit der Einbruchserie zusammen, von der ihr bestimmt schon gehört habt.«

»Die im Villenviertel?«, fragte Karl neugierig.

Der Kommissar nickte. »Kann es sein, dass ihr mit jemandem über das Geheimversteck gesprochen habt?«

Die Judo-Schüler schüttelten die Köpfe.

»Haben Sie denn schon eine Spur?«, wollte Karl wissen.

»Keine heiße Spur, könnte man sagen. Die Täter steigen immer über die Kellerfenster ein«, berichtete der Kommissar.

»Ah, echte Profis also!«, stellte Klößchen fachmännisch fest.

»Wenn euch noch irgendwas einfällt, meldet euch bei mir oder meinen Kollegen.« Glockner verteilte einige Visitenkarten und verabschiedete sich.

»Denkt ihr, was ich denke?«, flüsterte Karl Tim, Klößchen und Gaby zu.

»Ein Fall für TKKG!« Tim sah seine Freunde mit leuchtenden Augen an.

»Aber es gibt keine Spuren oder Hinweise. Wir wissen praktisch nichts«, wandte Klößchen ein.

»Das macht es ja gerade so spannend«, flüsterte Karl verschwörerisch. »Gaby, meinst du, dein Vater könnte uns noch mehr Hinweise geben?«

Gaby schüttelte den Kopf. »Es ist ein Wunder, dass er überhaupt was verraten hat.«

»Wir könnten dieser Kellersache nachgehen.« Tim zog seinen orangefarbenen Gürtel fester.

Guter Riecher

»Kannst du mal die Dose halten?« Karl hockte neben Klößchen auf einem Gitter und pinselte den Griff des Kellerfensters mit Grafitpulver (damit konnte man Fingerabdrücke sichtbar machen) ein.

»Und?« Tim sah sich im Gartenbeet nach Fußspuren um. »Wir müssen uns beeilen, Sven hat gleich Feierabend.«

Gaby kam mit Oskar um die Ecke. »Das sind die einzigen Kellerfenster ohne Gitter. Wenn, dann müssen sie hier eingestiegen sein.«

»Null Fingerabdrücke.« Karl steckte sein Fingerabdruckset wieder ein.

Klößchen wischte sich den Schweiß von der Stirn. »Dann sollten wir jetzt ins Freibad!«

»Oskar, willst du dich bis nach Australien durchgraben?« Tim zeigte auf den Hund. Er hatte angefangen, wild in einem Beet zu wühlen. Da es in der Millionenstadt seit Tagen nicht geregnet hatte, war

irgendwann nur noch sein lautes Bellen aus einer
Staubwolke zu hören.

»Oskar hat einen Ring gefunden!«, rief Gaby plötzlich, als sich die Wolke langsam lichtete. Sie hob
einen goldenen Ring auf. Der eingefasste Diamant
glitzerte in der Sonne. »Wow, das ist ja mal ein Klunker.«

»Meint ihr, den haben die Diebe hier verloren?«, überlegte Karl.

»Möglich. Aber es gibt kaum Fußspuren. Lasst uns weitersuchen«, raunte Tim den anderen zu.

Plötzlich stand Sven Winter vor ihm. »Was willst du suchen?«

Tim schaltete schnell. »Nicht suchen. Besuchen, also Sie besuchen ... Und ... ähm ... was Wichtiges fragen.«

»Und warum habt ihr das nicht vorhin im Verein gemacht?« Der Trainer kramte in der Jackentasche nach seinem Schlüssel.

»Weiß auch nicht. Da war so viel los. Ich würde gern endlich den grünen Gürtel haben.« Tim grinste seinen Trainer an.

Sven Winter zog die Stirn kraus. »Deswegen kommst du her?«

»Und ich überlege, ob ich Vereinsmitglied werden möchte«, sagte Karl.

»Super. Dann kannst du ja noch ein Probetraining machen. Und was den Gürtel angeht, du kannst die Prüfung gern demnächst ablegen, Tim.« Der Trainer lief die Treppen zu seiner Haustür hinauf. »Gibt es noch was? Ich muss jetzt mal meinen Keller aufräumen. Die Einbrecher haben ein ziemliches Chaos hinterlassen.«

»Dürfte ich mal Ihre Toilette benutzen?«, meldete sich nun Gaby, während sie den Ring heimlich in ihrer Tasche verschwinden ließ.

Oskar bellte.

»Ja, kommt rein.«

Die vier marschierten hinter Sven Winter die Treppe hoch. »Möchtet ihr was trinken?«

»Ja, gern. Danke!« Tim lächelte seinen Trainer an. Die vier Detektive tauschten Blicke aus. Das lief ja wie geschmiert. Wenn sie erst mal Zugang zum Tatort hatten, würden sie hoffentlich auf neue Hinweise stoßen.

Winter stellte Oskar eine Schüssel mit Wasser hin.

Karl sah sich in der alten Villa um. Das Haus war mindestens hundert Jahre alt. »Wohnen Sie allein hier?«

»Ja, meine Eltern leben im Ausland. Das Haus habe ich von meiner Oma geerbt«, erzählte Sven Winter, während er in der Küche Apfelschorle in vier Gläser goss.

Tim trank sein Glas in einem Zug aus. »Haben die Einbrecher auch hier oben etwas geklaut? Oder nur im Keller?«

»Auch im Wohnzimmer. Meine Spielkonsole, den Fernseher und meinen Laptop.« Sven Winter zeigte TKKG das Chaos im Wohnzimmer. Auf dem Boden lagen aus den Regalen gerissene Bücher. Eine Vase war umgekippt und zu Bruch gegangen, Bilder hingen schief an den Wänden.

Karl hob ein Buch auf. »Oh, ein Krimi. Der ist gut, da geht es um einen Diamantenraub.«

»Apropos Diamantenraub ...« Gaby zögerte kurz. »... mein Hund hat gerade diesen Ring im Beet vor dem Haus ausgegraben.«

»Das gibt's ja nicht!« Winter schlug die Hände über dem Kopf zusammen. »Den hab ich ewig nicht gesehen. Meine Oma trug ihn immer, als ich klein war. Sie hat ihn mal bei der Gartenarbeit verloren. Wir haben damals den ganzen Garten umgegraben, aber nichts gefunden. Euer Hund hat ja einen guten Riecher.«

Oskar bellte.

Tim sammelte einige Bücher vom Boden auf und

stellte sie ins Regal. »Wir dachten schon, dass die Einbrecher ihn vielleicht verloren haben.«

»Sagt mal, warum interessiert ihr euch eigentlich so für den Einbruch?« Winter kratzte sich am Hals. »Wir sind Detektive. Wir ermitteln in dem Fall. Unser Riecher ist nämlich mindestens genauso gut wie der von Oskar«, erklärte Tim selbstbewusst.

Der Trainer nieste. »Wollt ihr das Ermitteln nicht lieber der Polizei überlassen und ins Freibad gehen?«

»Ich würde ja, aber ...«, begann Klößchen, wurde aber von Gaby unterbrochen. »Wer wusste, dass Sie am Samstagabend nicht zu Hause sein würden?«

Winter überlegte. »Keiner, glaube ich. Ich war mit einer Bekannten essen, die gar nicht weiß, wo ich wohne.«

Gaby reichte Winter einen Stapel Bücher. »Darf ich fragen, wo Sie essen waren?«.

»Restaurant *Lilienhof*.« Niesend stellte der Trainer die Bücher ins Regal. »Wartet mal. Herr Jakob hatte mir freundlicherweise mein Handy gebracht. Das hatte ich im Trainerbüro vergessen. Er kam, als ich gerade loswollte. Aber er hat damit bestimmt nichts zu tun.«

»Der Hausmeister des Vereins. Total netter Typ«, erklärte Tim den anderen.

»Wenn es euch nichts ausmacht – **HATSCHI** –, würde ich jetzt gern weiter aufräumen.« Winter putzte sich die Nase. »Ich hab außerdem eine Tierhaarallergie.«

»Oh nein, das wusste ich nicht. Komm her, Oskar!« Gaby gab dem Trainer die Hand.

Winter winkte ab. »Nicht schlimm. Meine Nussallergie ist schlimmer.«

»Oskar, bei Fuß!« Gaby lief zur Tür. Der Cockerspaniel huschte an ihr vorbei in den Garten und fing sofort wieder an, in einem Beet zu wühlen.

Tim, Karl und Klößchen verabschiedeten sich und liefen die Treppe in den Vorgarten hinunter.

»Oskar, mehr Klunker gibt es hier nicht«, lachte Gaby. »Außerdem ist das ziemlich unfein, wenn du hier den Garten zerwühlst«, sagte Tim.

Oskar bellte. Er kam zu Gaby gelaufen. In der Schnauze hatte er etwas silbrig Glänzendes.

Gaby griff danach. »Ein Stück Silberpapier. Das ist nur Müll.«

Beweise!

»Warte mal, das ist die Verpackung unserer extra dicken Macadamianuss-Schokolade!« (Klößchens Vater besaß praktischerweise die größte Schokoladenfabrik in der Millionenstadt.)

»Mensch, Klößchen, du kannst deinen Müll echt nicht einfach so hier hinwerfen!«, schimpfte Gaby.

»Das ist nicht von mir«, beteuerte Klößchen. »Meine Vorräte sind schon seit Stunden aufgebraucht. Vielleicht ist das Papier ja auch von der Straße in den Garten geweht.« Klößchen leckte an seinem Zeigefinger und hielt ihn prüfend in die Höhe. »Nee, ist zu windstill. Dann ist es von deinem Trainer.« Klößchen sah Tim nachdenklich an.

Tim überlegte. »Also, von Sven ist das Papier bestimmt nicht, der hat ja eine Nussallergie.«

»Ich muss neuerdings übrigens immer niesen, wenn mein Vater Rasierwasser aufgetragen hat«, berichtete Karl (der zwei ältere Brüder hatte).

»Aha«, meinte Gaby trocken und sah Klößchen provokant an.

»Das Papier ist wirklich nicht von mir!«, beteuerte Klößchen.

»Jaja.« Tim schnappte Gaby das Papier aus der Hand und warf es in den nächsten Mülleimer.

»Hey, du entsorgst gerade Beweismaterial«, motzte Klößchen.

»Ja, Beweismaterial dafür, dass du der größte Schokofan auf Erden bist«, lachte Gaby. »Wollen wir uns diesen Herrn Jakob jetzt mal vornehmen?«

»Den Hausmeister?« Karl stieg auf sein Rad.

»Der ist herzensgut. Der war das nicht. Aber vielleicht hat er was gesehen?« Tim fuhr los. »In der Halle ist jetzt keiner mehr. Lasst uns morgen früh hinfahren.«

Gaby setzte Oskar in den Fahrradkorb. »Okay, dann ab ins Freibad!«

»**JUCHHUUUU!**«, jubelte Klößchen.

»Schon wieder so heiß! Ich brauch Eis!«, stöhnte Klößchen, als TKKG sich am nächsten Vormittag vor der Sporthalle trafen.

»Ach, gestern hattest du ja auch nur drei«, lachte Gaby. »Oder waren es dreizehn?«

»Das wäre schön gewesen«, grinste Klößchen.

»Guckt mal, da ist Herr Jakob«, flüsterte Tim und zeigte auf einen Mann mit Schnauzbart. Er hantierte mit einer Zange am Griff eines Kellerfensters.

»Sieht aus, als wolle er da einbrechen«, bemerkte Klößchen.

»Das sind die Fenster zu unseren Garderoben. Die klemmen!« Tim spazierte auf den Hausmeister zu. »Hallo Herr Jakob.«

»Ach, hallo Tim. Na, wie geht's?« Herr Jakob legte die Zange beiseite und ruckelte am Fenstergriff. Das Fenster ging reibungslos auf. »Ha!«

Gabys Blick fiel durch das geöffnete Fenster in die Umkleide. Darin war Lise. »Ich dachte, Mädchen dürfen da nicht rein!«, rief Gaby ihr zu.

»Du warst doch auch drin«, blaffte die zurück.

Oskar kläffte.

»Was machst du denn da, Lise?«, fragte Tim durch das Fenster.

Lise öffnete einen der Spinde und sah hinein. »Ich suche was.«

»Nee, nee, Frollein, das geht nicht!« Herr Jakob warf die Zange in seine Werkzeugtasche.

»Ja, verstanden.« Augenrollend verschwand Lise wieder aus der Umkleide.

Herr Jakob sah TKKG an. »Und was schlawinert ihr hier rum? Warum seid ihr bei dem Wetter denn nicht im Freibad oder so?«

»Das frage ich mich auch«, stöhnte Klößchen.

»Wir müssen Sie dringend was fragen«, begann Tim mit wichtiger Miene.

Jakob stand auf. »Dann schieß mal los.«

Gaby hob einen Hammer auf und legte ihn in Herrn Jakobs Werkzeugtasche. »Sie waren doch am Samstag bei Sven und haben ihm sein Handy gebracht, oder?«

»War das Samstag? Ja, kann sein. Warum?« Der Hausmeister ging die Treppe zur Tür hinauf.

»Danach wurde bei Herrn Winter eingebrochen«, erklärte Karl.

Herr Jakob öffnete die Eingangstür. »Ja, der Arme!«

»Ist Ihnen irgendwas aufgefallen als Sie bei ihm waren?«, fragte Klößchen.

»Was soll mir denn da aufgefallen sein?« Herr Jakob betrat die Sporthalle. »Es war alles so wie immer.« TKKG schlüpften hinter ihm durch die Tür und folgten ihm.

Am Eingang rechts befand sich das Hausmeisterbüro. Gegenüber führte eine Treppe zu den Umkleiden. »Hoffentlich werden die Einbrecher bald gefasst.« Herr Jakob stellte seine Werkzeugtasche in ein Regal. »Meine Frau Monika kann nachts schon nicht mehr schlafen, weil sie solche Angst hat, dass die auch bei uns einsteigen.« Der Hausmeister öffnete einen kleinen Schrank und hängte seinen

Schlüssel an einen Haken. »Aber wir wohnen nicht in einer Villa und bei uns gibt's nicht viel zu holen.«

Im selben Moment entdeckte Gaby etwas Goldenes im Schrank. »Haben Sie ein Alibi für den Abend?«

Herr Jakob zog die Stirn kraus. »Denkt ihr etwa, dass ich der Einbrecher bin?«

Klößchen steckte die Hände in seine Hosentaschen. »Na ja, das Fenster zur Umkleide haben Sie auch geknackt.«

Gaby zeigte auf eine Kiste im Schrank. »Ist das nicht die Goldmedaille von Sven Winters Vater?«

»Ach, das sind die Fundsachen!« Herr Jakob holte eine goldene Medaille, die an einem blauen Band hing, aus dem Schrank. »Das Ding hab ich auf dem Boden gefunden. Bei der Trainerumkleide. Die soll von Sven sein? Ist die etwa echt?«

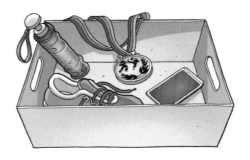

»Ja, sie wurde ihm bei dem Einbruch auch geklaut«, bestätigte Tim.

»Ach was?!« Jakob sah die vier ungläubig an. »Warum liegt die dann hier rum?«

»Darf ich sie mitnehmen? Mein Vater, Kommissar Glockner, ermittelt in dem Fall.« Gaby streckte die Hand aus.

»Wollen wir sie nicht einfach Sven geben?«, fragte Herr Jakob.

»Das macht Gabys Vater, wenn er die Medaille untersucht hat.« Tim klopfte Karl auf die Schulter, der sofort eine kleine Tüte aus seinem Rucksack zupfte.

»Na gut, aber macht keinen Quatsch damit.« Herr Jakob gab Tim die Medaille. »Kann ich mich wirklich darauf verlassen, dass ihr sie der Polizei gebt?«

Die vier Detektive nickten heftig.

»Keine Sorge!« Tim ließ die Medaille sofort in Karls Beutel fallen.

»Na gut. Ich frage da aber nachher nach.« Jakob suchte in seiner Werkzeugtasche herum.

»Machen Sie das. Und nur für uns zur Sicherheit: Haben Sie ein Alibi?«, hakte Gaby nach.

»Ich war zur Tatzeit in meiner Stammkneipe. Skatabend mit den Jungs. Musste ich aber früher abbrechen, weil Monika ein Knistern bei den Mülltonnen gehört hatte. Ich vermute, dass das Ratten waren.« Der Hausmeister nahm eine Zange in die Hand, schob TKKG aus seinem Büro und schloss die Tür ab. »Und jetzt entschuldigt mich. In der Trainerumkleide tropft ein Wasserhahn.«

»Er war es nicht. Lasst uns die Medaille im Schuppen auf Fingerabdrücke untersuchen.« Tim rutschte das Treppengeländer zu den Umkleiden runter. »Ich häng nur kurz meine neue Wechselhose in den Spind.« Mit Schwung landete er direkt vor Lise. »Und? Gefunden?«

»Was? ... ach so ... nee«, murmelte das Mädchen und lief schnell an TKKG vorbei. Ohne hinzusehen, warf sie eine Wasserflasche Richtung Mülleimer, traf aber nicht.

»Noch jemand, der das mit dem Müll nicht so ernst nimmt«, stichelte Gaby mit einem Seitenblick zu Klößchen.

»Mann, ich war das nicht mit dem Schokopapier!« Klößchen wühlte einen Schokoriegel aus seinem Rucksack und warf das Papier demonstrativ in den Mülleimer. Ehe er Lises Plastikflasche aufheben konnte, war Oskar da, schnappte sie sich und flitzte damit zu Gaby. »Keine schlechte Idee, Oskar!«

Unstimmigkeiten

Gabys geliebter Cockerspaniel Oskar war das fünfte und inoffizielle Mitglied der Detektivbande. Er war zwar auf einem Auge blind, aber das merkte man fast nie. Meistens hatte er den richtigen Riecher und hatte TKKG damit schon oft aus der Klemme geholfen.

Im Schuppen fischte Gaby Lises Wasserflasche aus ihrem Rucksack. »Ich hab immer noch Durst.«

»Deswegen hast du die leere Flasche mitgenommen?« Klößchen ließ sich auf den Sessel plumpsen und auch Tim brauchte eine kurze Verschnaufpause.

»Quatsch!« Lachend stellte Gaby die Plastikflasche vor Karl auf den Schreibtisch. »So, Professor. Kannst du hiervon mal bitte Fingerabdrücke nehmen?«

Sie öffnete den kleinen Rollschrank unter dem Schreibtisch und holte eine Dose mit Grafitpulver hervor.

TKKG hatten den verfallenen Schuppen in Glockners Garten zum Hauptquartier umfunktioniert. Hier konnten sie geheime Sitzungen abhalten und lagerten ihre Detektivausrüstung (und wichtige Beweisstücke).

»Wollen wir nicht erst mal die Medaille untersuchen?« Karl fischte den Beutel aus seinem Rucksack. »Ganz schön schwer.«

»Hallo? Das ist eine olympische Goldmedaille.« Tim legte sein gelbes Notizbuch auf den Schreibtisch. »Sven hat uns neulich verraten, wo er die Medaille seit Jahren im Keller versteckt. Er hat seinem Vater versprochen, immer gut darauf aufzupassen.«

»Warum hat er es dann verraten?«, wollte Klößchen wissen.

Tim rieb sich mit zwei Fingern über die rechte Schläfe (das machte er immer, wenn er grübelte). »Vielleicht, weil er uns vertraut?«

»Ziemlich fahrlässig«, bemerkte Karl.

»Müssen wir die Medaille nicht deinem Vater übergeben, Gaby?« Klößchen gab Gaby seine Wasserflasche.

Sie trank einen Schluck. »Machen wir nachher. Mein Vater hat heute Nacht lange gearbeitet und ist gerade nicht im Dienst.« Gaby schraubte das Döschen mit dem Grafitpulver auf.

»Okay, dann lasst uns anfangen.« Karl fischte zwei Pinsel aus der obersten Schublade des Schreibtischschranks.

Konzentriert begann er, die Medaille einzupinseln, während Gaby das Gleiche mit der Plastikflasche machte. Mit durchsichtigem Klebeband zog sie die sichtbar gewordenen Fingerabdrücke ab und klebte sie in Tims zerfleddertes gelbes Notizbuch.

Karl wiederholte diese Prozedur mit der Medaille. »Hier sind auch welche drauf.« Er klebte sie neben die anderen.

Mit der Lupe sah Tim sich die Fingerabdrücke genau an. »Das glaube ich nicht!«

Klößchen sprang auf. »Sind das etwa dieselben Fingerabdrücke?«

»Lise?«, riefen alle vier Detektive gleichzeitig und sahen sich mit großen Augen an.

»Puh!« Klößchen schnaufte. »Oskar hat es gut. Der hockt im Fahrradkorb und genießt den Fahrtwind.«

Tim machte eine Vollbremsung vor dem Hochhaus, in dem seine Mutter lebte. TKKG waren vom Schuppen direkt wieder zur Sporthalle geradelt, hatten Lise aber nicht mehr angetroffen.

Daraufhin hatten sie sich mit der S-Bahn (und den Rädern) auf den Weg zu Tims Mutter gemacht. Sie lebte am Stadtrand in einem Hochhaus (Tim schlief während der Schulzeit im Internat).

Da Lise mit ihrer Mutter und ihrem Bruder zwei Stockwerke über Tims Mutter wohnte (durch Tim war Lise auf die Idee gekommen, in den Verein einzutreten), hofften TKKG, sie hier zu treffen, um herauszufinden, was sie mit der gestohlenen Medaille zu tun hatte.

Klößchen blickte am Haus nach oben. »Welcher Stock?«

»Zehnter. Und der Fahrstuhl ist kaputt.« Tim zwinkerte Klößchen zu.

»Nicht dein Ernst?« Klößchen ließ die Schultern hängen.

»Guck mal, dahinten, das ist sie doch?!« Karl zeigte auf ein kleines Rasenstück. Lise saß auf einer der Schaukeln und ließ die Beine baumeln.

Tim rannte zu ihr. »Hi, Lise.«

»Hey, Tim, heute mal nicht im Internat?« Lise entdeckte jetzt Karl, Klößchen und Gaby.

»Wir müssen dich was fragen.« Tim setzte sich auf die zweite Schaukel. Gaby baute sich vor Lise auf. »Woher hattest du Sven Winters Goldmedaille?«

Lise rutschte erschrocken von der Schaukel. »Welche Medaille?«

»Das weißt du ganz genau. Vorhin, in der Umkleide, hast du sie gesucht.« Gaby ging auf Lise zu.

Karl holte die Tüte mit der Medaille aus seinem Rucksack und hielt sie ihr hin.

Lise stürzte auf ihn zu und wollte ihm die Tüte aus der Hand reißen, aber Karl hielt dagegen. Sie stellte ihm ein Bein und drückte ihn zu Boden. Blitzartig war Tim bei den beiden und hielt Lise fest. Schnell nahm Gaby ihr die Tüte mit der Medaille ab.

»Wolltest du etwa mit dem Teil abhauen?«, fragte Tim.

»Tim, du hast echt keine Ahnung.« Lise wischte sich mit dem Handrücken eine Träne unter dem Auge weg. »In deinem feinen Internat kriegste echt nichts mit.«

»Was meinst du denn?« Gaby fischte ein Taschentuch aus ihrer Hosentasche und hielt es Lise hin.

Klößchen fasste ebenfalls in seine Hosentasche und zog einen Schokoriegel hervor.

Lise putzte sich die Nase und biss in den Schokoriegel. »Ich wollte Sven die Medaille bringen und habe sie vor seiner Umkleide auf den Boden gelegt. Und dann war sie weg, ehe er kam.«

»Und woher hattest du sie?«, wollte Gaby wissen.

»Ich hab sie ... ähm ... gefunden.« Lise wuschelte Oskar über das Fell. »Ihr dürft bitte auch niemandem sagen, dass ich sie mal hatte.« Misstrauisch sah Lise die vier Detektive an. »Mist! Ich muss los. Könnt ihr sie Sven bringen?« Eilig lief Lise zum Hauseingang.

Erst jetzt entdeckten TKKG einen jungen Mann, der bei den Fahrrädern stand und ziemlich wütend aussah. Ohne sich umzudrehen, verschwand Lise mit ihm im Haus.

»Wer war das denn jetzt?«, wollte Gaby wissen.

»Lises Bruder Frederick. Er ist einige Jahre älter als sie und war längere Zeit im Ausland«, berichtete Tim.

»Das war ihr Bruder?« Karl überlegte. »War ja 'ne frostige Begrüßung!«

Beobachtungsposten

»Zum Glück geht der Fahrstuhl wieder«, stellte Klößchen erleichtert fest, als TKKG die Wohnung von Tims Mutter betraten.

»Hallo, mein Großer!« Tims Mutter stand im Flur und schlüpfte gerade in ihre Schuhe. Strahlend umarmte sie ihren Sohn. »Geht's dir gut?«

»Hallo, Mama.« Tim nickte . »Und dir?«

»Wenn ich euch sehe, ja! Aber ich muss jetzt los. Tim, kommst du am Wochenende?«, fragte sie ihren Sohn. Tim nickte und winkte ihr zu.

»Cool! Hier kann man ja weit gucken!« Karl lief zum Wohnzimmerfenster. Die Wohnung war sehr klein (nach dem Tod von Tims Vater vor zwei Jahren waren sie hier eingezogen). Im Wohnzimmer stand ein ausziehbares Sofa, auf dem Tims Mutter schlief. Tim hatte ein eigenes kleines Zimmer. Seiner Mutter war es wichtig, dass er sein eigenes Reich hatte, wenn er sie besuchte.

»Na ja, wenn man drinnen schon keinen Platz hat, dann wenigstens gute Sicht.« Tim wühlte in der Schublade einer Kommode. »Hier!« Er gab Karl ein Fernglas. »Von unserem Küchenfenster kann man schräg nach oben gucken. In Lises Küche und auf den Balkon.«

Tim ging in die Küche, die anderen folgten ihm.

»Ein Haus, das im rechten Winkel gebaut ist.« Karl nahm seinen Beobachtungsposten am Fenster ein. »Interessante Architektur.«

»Hmm, geht so.« Klößchen ließ sich auf einen der beiden Stühle plumpsen. »Ist halt ein Haus in L-Form.«

»Apropos ›L‹. Leere im Kühlschrank.« Tim machte den Kühlschrank zu.

»Wie wäre es mit Leitungswasser?« Tim stellte Oskar eine Schüssel mit Wasser auf den Küchenboden.

Gaby holte Gläser aus dem Küchenschrank.

Tim grinste. »Lecker und löscht den Durst. Und, siehst du was, Karl?«

»Bis jetzt nichts.« Karl setzte das Fernglas ab, um einen Schluck Wasser zu trinken.

»Da!« Klößchen zeigte aus dem Fenster schräg nach oben. Hinter Lises Fenster tat sich was.

»Gib mal!« Tim schnappte sich das Fernglas. »Das ist Lises Bruder. Ich glaube, der telefoniert ... und ...«

»Und was?«, wollte Gaby wissen.

»Sieht nach Streit aus. Jetzt hat er aufgelegt und schreit irgendwen an.« Tim nahm entsetzt das Fernglas runter. »Lise. Er schreit Lise an.«

Karl fixierte das Fernglas an der Fensterscheibe, zog sein Handy aus der Tasche und machte durch das Fernglas ein Foto von Frederick.

»Gib mal!« Gaby fasste nach dem Fernglas. »Tatsächlich. Lise sagt ja gar nichts. Die lässt nur den Kopf hängen.«

»Ich will auch mal!« Klößchen riss Gaby das Fernglas aus der Hand. »Ich glaube, jetzt geht er. Zumindest ist er nicht mehr zu sehen.«

Tim öffnete die Wohnungstür einen Spaltbreit. Er lauschte ins Treppenhaus.

»Das kannste nicht wiedergutmachen!«, hallte die Stimme von Lises Bruder durch den Hausflur. Dann knallte eine Tür und der Fahrstuhl ging auf. Tim hörte, wie jemand einstieg. Er drehte sich zu seinen Freunden. »Er haut ab. Los, hinterher.«

Tim fegte los, die Treppe runter.

»Ich nehm den Fahrstuhl«, rief Klößchen ihm hinterher und sah auf die Anzeige. »Mist, der ist schon im fünften Stock.«

»Dauert zu lange, bis er wieder oben ist!«, rief Gaby, die mit Oskar schon eine Treppe runtergelaufen war.

»Los, komm!« Karl zog die Wohnungstür hinter sich und Klößchen zu. Die beiden rannten hinter Tim und Gaby her.

Tim nahm immer zwei Stufen auf einmal. Der bereits leere Fahrstuhl schloss sich gerade wieder, als er unten angekommen war. Tim lief aus dem Haus, aber von Frederick gab es keine Spur. »Mist!«

Gaby kam, gefolgt von Karl, unten an. »Wo ist er?«

»Weg!« Wütend kickte Tim gegen eine Dose.

Schließlich kam Klößchen aus dem Haus gehechtet. »Mist!«

Karl holte sein Handy aus der Hosentasche. Auf seinem Display war ein unscharfes Foto von Frederick zu sehen.

»Das ist so unscharf – das könnte auch ich sein«, behauptete Klößchen.

»Na ja, du würdest durch zwei Fensterscheiben fotografiert auch anders aussehen. Mal sehen ...« Karls Finger wirbelten über das Handy. »Ich habe eine neue App, die gleicht Unschärfen automatisch aus.« Er hielt es hoch. »Guckt, schon viel deutlicher.«

»Krass.« Tim nahm Karl das Handy aus der Hand und betrachtete das Foto genau. »Warum ist Frederick eigentlich so chick? So hab ich ihn noch nie gesehen.«

Klößchen schielte über seine Schulter auf das

Bild. »Guckt mal, auf der Brusttasche seines Hemdes steht irgendwas.«

»Stimmt!« Gaby kniff die Augen zusammen. »Karl, kannst du das noch schärfer machen?«

»Und vergrößern?«, fragte Klößchen.

»Ich versuche es mal.« Karl tippte wieder auf dem Handy herum. »Sieht aus wie eine Stickerei?« Karl schob seine Brille zurecht.

»*Lilienhof*«, las Gaby vor.

»Das Restaurant im Villenviertel! Meine Eltern wollten da neulich essen gehen, aber das ist immer ausgebucht«, erklärte Klößchen.

»Meint ihr, Frederick arbeitet im *Lilienhof*?«, überlegte Tim. »Und war Sven nicht genau dort essen, als bei ihm eingebrochen wurde?«

»Wenn ja, vielleicht hat dein Trainer ihn da gesehen?«, überlegte Gaby.

»Gute Idee. Kommt, wir fragen ihn!« Tim schwang sich auf sein Fahrrad.

»Vorher bringen wir aber die Medaille zu meinem Vater«, entschied Gaby. »Wir können ja keine Beweismittel unterschlagen.«

TKKG waren mit den Rädern (und für die lange

Strecke mit der S-Bahn) zu Kommissar Glockners Büro und weiter zum Judo-Verein gedüst.

»Zum Glück war dein Vater in einer Besprechung, Gaby, dann mussten wir ihm wenigstens nichts von unseren Ermittlungen erzählen.«

Tim raste mit voller Geschwindigkeit auf die Sporthalle zu und stieß beinahe mit Sven Winter zusammen, der gerade aus der Tür stürmte.

»Hallo, ihr vier, die Polizei hat gerade angerufen. Anscheinend ist die Medaille aufgetaucht und ich soll sie identifizieren. Aber sie soll noch untersucht werden, auf Fingerabdrücke oder so.« Winter öffnete sein Fahrradschloss.

Gaby hielt neben ihm an. »Warum haben Sie Ihren Schülern eigentlich von dem Versteck erzählt?«

Winter zog die Schultern hoch. »Ich dachte, ich kann ihnen vertrauen. Das habe ich vielleicht falsch eingeschätzt.« Er senkte den Blick.

»Meine Mutter sagt immer, dass man eigentlich nur seiner Mutter vertrauen kann«, mischte sich Klößchen ein. »Aber ich vertraue euch genauso. Oder noch mehr«, sagte er schnell, als er merkte, dass Tim, Karl und Gaby ihn fragend ansahen.

»Und warum in einer Pralinenschachtel?«, bohrte Tim weiter.

»Das war die Idee meiner Oma.« Sven musste schmunzeln.

Karl kramte sein Handy aus der Hosentasche und hielt es Winter hin. »Kennen Sie diesen Mann?«

Der Trainer nahm das Handy in die Hand. »Hmm, ich glaube nicht ... oder ... doch, jetzt fällt es mir ein: Das ist der Kellner aus dem *Lilienhof*. Der hat mich an dem Abend bedient, als bei mir eingebrochen wurde.« Der Trainer stieg auf sein Rad. »Woher habt ihr das Bild?«

Die vier Detektive tauschten Blicke aus.

»So ein Zufall, der Typ ist mein Nachbar!«, sagte Tim schnell.

»Wusstet ihr, dass man jeden Menschen auf der Welt um sechs Komma sechs Ecken kennt?«, begann Karl. »Ein Kollege meines Vaters hatte ein Geschichtsseminar bei dem früheren amerikanischen Außenminister. Das heißt, ich kenne J. F. Kennedy um drei Ecken.«

»Das ist ja cool. Dann kennen wir bestimmt auch Sherlock Holmes«, überlegte Klößchen.

»Der ist doch nur eine Buchfigur«, erklärte Karl.

»Dann kennen wir eben den Autor«, meinte Klöß-chen leicht beleidigt.

»Der hat im letzten Jahrhundert gelebt.« Karl überlegte. »Ich weiß nicht, ob das mit den 6,6 Ecken dann auch gilt.«

»So, Leute, macht es mal gut«, unterbrach Sven die beiden. »Ich fahre jetzt zur Polizei.« Der Trainer fuhr los.

TKKG warteten, bis er auf die Straße abgebogen war.

»Dieser Frederick hat doch bestimmt irgendwas mit der Goldmedaille zu tun, oder?« Gaby sah fragend in die Runde.

Oskar kläffte.

Tim rieb sich mit zwei Fingern über die rechte Schläfe. »Glaube ich auch. Aber was? Er kann ja nicht der Einbrecher sein.«

»Stimmt. Wenn er den ganzen Abend im Restaurant war, hat er das perfekte Alibi«, überlegte Klöß-chen.

Karl sah auf seine Uhr. »Frederick ist doch bestimmt vorhin zur Arbeit gefahren.«

Tim schlug sich mit der flachen Hand an die Stirn. »Ziemlich sicher sogar. Der würde sonst niemals mit so einem Hemd rumlaufen.«

Karl hatte bereits sein Handy in der Hand und checkte die Öffnungszeiten. »Der *Lilienhof* in der Lilienchaussee ist bereits geöffnet.«

»Oh super! Dann nichts wie los!« Klößchens Augen leuchteten.

Gaby sah an sich herunter. »Wir sehen alle so aus, als ob wir aus dem Schwimmbad kämen. Das ist doch so ein Nobelschuppen.«

Karl nickte. »Das Restaurant hat sogar einen Stern. Ohne Eltern kommen wir da nicht rein.«

»Na klar!« Tim grinste verschwörerisch.

Unsichtbare Ratten

»Oskar, ins Restaurant darfst du leider nicht mit rein.« Gaby band ihren Hund am Fahrradständer fest. Knurrend legte sich der Cockerspaniel hin.

»Das ist bestimmt auch ganz langweilig da«, versuchte Klößchen Oskar zu besänftigen. »Und es gibt nur so kleine Popelportionen mit Tofu.«

Tim lief die Stufen zum Eingang hoch. »Kommt ihr?«

»Wir brauchen doch einen Plan.« Karl stand unschlüssig vor der Treppe.

»Tim hat bestimmt einen.« Klößchen marschierte entschlossen an Karl vorbei.

»Los, komm, Karl!«, rief Gaby von der obersten Treppenstufe. Seufzend folgte Karl den anderen.

Kaum hatten sie das Lokal betreten, wurden sie von einem Kellner begrüßt. Er trug das gleiche Hemd wie Frederick auf dem Foto. »Hallo, seid ihr mit euren Eltern da?«

»Hallo! Die kommen gleich. Sie suchen noch einen Parkplatz.« Tim lächelte den Kellner an.

Karl entdeckte das aufgeschlagene Reservierungsbuch, das neben dem Kellner auf einem kleinen Tisch lag. Konzentriert schielte er darauf.

Der Kellner zog die Stirn kraus. »Auf welchen Namen haben eure Eltern denn reserviert?«

Tim sah Karl fragend an. »Auf ... ähm ...«

»Borgwardt«, unterbrach Karl seinen Freund.

Der Kellner blickte prüfend in sein Buch. »Gut, dann folgt mir.«

»Sehr gut«, flüsterte Tim Karl zu.

»Ihr sitzt auf der Terrasse.« Der Kellner zeigte auf einen langen Tisch. TKKG setzten sich aufgereiht wie Hühner an die Stirnseite des Tisches, um die Terrasse im Blick zu haben.

»Darf ich schon Getränke bringen?« Der Kellner zückte einen kleinen Block aus seiner Hemdtasche.

Klößchen nahm die Speisekarte in die Hand und warf einen fachmännischen Blick darauf (genauso, wie sein Vater das immer tat). »Gerne, ich nehme eine Orangenlimo ... und ... ohhh, Sie haben Schokobananen?«

Der Kellner nickte. »Wollt ihr eine?«

»Eine?« Klößchens Augen leuchteten.

Die anderen drei Detektive warfen sich Blicke zu.

Gaby schüttelte den Kopf. »Danke, wir warten noch auf unsere Eltern.«

»Gut. Dann erst mal nur die Limo.«.

Karl musste niesen. »Der Kellner hat das gleiche Rasier-**HATSCHI**!-wasser wie mein Vater.«

»Ob das so eine gute Idee ist?« fragte Gaby.

»Dass ihr mir die Schokobanane vorenthaltet? Bestimmt nicht«, sagte Klößchen. »Wir müssen uns doch normal verhalten, um nicht aufzufallen.«

»Das geht ja wohl auch ohne Banane, du Pflaume.« Gaby grinste.

Tim und Karl mussten lachen.

»Ihr seid doch banane«, motzte Klößchen.

Außer den vier Detektiven saß nur ein Pärchen mit Kinderwagen auf der Terrasse.

»Da ist er!« Um nicht von Frederick erkannt zu werden, drehte Tim sich mit dem Rücken zu dem Kellner, der einen gerade frei gewordenen Tisch abräumte. Plötzlich klingelte Fredericks Handy. Er sah sich kurz um und zog es dann ungeschickt aus seiner Hosentasche. Dabei fiel ein leeres Glas zu Boden.

Schnell sprang Gaby auf und half ihm beim Einsammeln der Scherben. »Ich kann jetzt nicht!«, raunte Frederick in sein Handy, während er Gaby dankbar zunickte.

»Gut. Wenn's sein muss. Dann in fünf Minuten!« Frederick legte auf und steckte das Handy ein. »Danke!«

Gaby lächelte. »Gerne.« Sie lief zurück zu ihren Freunden. »In fünf Minuten passiert irgendwas«, flüsterte sie ihnen zu. »Er wirkt total nervös.«

»Bestimmt kommen auch gleich die echten Borg-wardts«, überlegte Karl. »Dann sollten wir hier weg sein.«

Gaby nickte. »Sonst fliegen wir auf.«

»Und was ist mit meiner Limo?«, protestierte Klößchen leise.

Tim rollte mit den Augen. »Wir müssen rausfinden, was er vorhat.«

Unbemerkt von den anderen Gästen, deren Baby gerade weinte, schlichen die vier Detektive über die Terrasse.

»Ich muss mal!«, flüsterte Klößchen.

»Muss das jetzt sein?«, fragte Tim.

»Lasst uns zur Toilette gehen und dort einen Schlachtplan schmieden«, schlug Gaby vor.

Schnell liefen TKKG die Treppe zu den Toiletten hinunter. Gerade noch rechtzeitig, denn Karl hörte, wie der Kellner sich laut wunderte: »Aber Frau Borg-wardt, die Kinder sind doch schon da.«

»Glück gehabt«, raunte Gaby den anderen zu, als sie im Waschraum der Toiletten standen. »Das ist das Jungsklo, hier haben Mädchen nichts zu suchen«, scherzte Tim.

Plötzlich hörten TKKG ein lautes Scheppern, das von draußen kam.

Tim kletterte auf den Spülkasten einer Toilette, die sich unter dem Fenster befand. Durch das Fenster konnte er Frederick sehen. »Er ist draußen im Hof. Ihm ist eine Mülltonne umgekippt.«

»Scheint wirklich nervös zu sein, der Typ.« Klößchen drückte auf die Spülung und kam aus der Nachbarkabine.

»Pssst!« Tim, Karl und Gaby hielten sich die Finger vor den Mund.

»Gibt's hier einen Hinterausgang?« Tim spähte aus der Tür.

»Wartet mal kurz, ich muss mir noch die Hände waschen!«, flüsterte Klößchen.

Tim hatte schon eine kleine Tür entdeckt, auf der »Nur für Personal« stand. Er lugte durch den Türspalt. »Hier geht's auf den Hof.«

»Das könnt ihr vergessen! Ich hab gesagt: ›Einmal und nie wieder‹ und dabei bleibt es!«, hörten die Detektive eine Männerstimme.

»Dahinten steht er mit zwei anderen Typen«, wisperte Tim.

»Einmal und nie wieder. Wie süß!«, sagte ein anderer Mann.

Tim drehte sich zu seinen Freunden um. »Habt ihr das gehört?«

Plötzlich waren aus dem Restaurant noch andere Stimmen zu hören. »Sie haben sich mit falschem Namen ausgegeben. Vielleicht sind die Kinder ja unten?« Das war die Stimme des Kellners, der sie empfangen hatte. »Ich schaue mal nach.« Er kam die Kellertreppe runter. Gleich würde er TKKG entdecken!

Die vier sahen sich aufgelöst an.

»Im Klo verstecken?«, flüsterte Klößchen.

»Da finden die uns sofort.« Karl spähte durch den Türspalt auf den Hof. »Kommt mit!« Er flitzte los, die anderen drei hinterher.

Tim zeigte auf drei große Mülltonnen. Blitzschnell huschten TKKG dahinter.

»Hoffentlich hat uns niemand gesehen«, flüsterte Karl so leise, dass man es kaum hörte. Er spähte an einer Mülltonne vorbei und sah Frederick mit zwei Männern in einer Ecke stehen. »Ihr könnt den Hals einfach nicht vollkriegen. Das war schon immer so!«

»Und was willst du jetzt machen? Doch nicht etwa zur Polizei gehen?« Einer der Männer lachte höhnisch auf.

Die vier Detektive tauschten aufgeregte Blicke aus.

»Wenn du dich weigerst, wird es gefährlich für dich«, drohte der kleinere Dunkelhaarige. Er lachte höhnisch, dabei funkelte ein Goldzahn in seinem Mund.

»Wenn ihr mir droht, gehe ich wirklich zur Polizei. Was haltet ihr davon?«, entgegnete Frederick.

»Und wenn wir deinem feinen Chef von deiner Vergangenheit erzählen, hmm?«, fragte der größere Mann, der eine schwarze Kappe trug.

Frederick sah die beiden entsetzt an. »D-d-das würdet ihr nicht.«

»Er fände es bestimmt äußerst interessant, dass sein neuer Oberkellner früher mal ein schwerer Junge war.« Der große Mann lachte leise.

»Ein schwerer Junge?« Klößchen sah seine Freunde fragend an.

»Das könnt ihr nicht machen!«, brauste Frederick auf.

»Und wie wir das können!«, freute sich der dunkelhaarige Kleine.

»Und es käme raus, dass du mal ›gesessen‹ hast«, ergänzte der Kerl mit der Kappe mit einem breiten Grinsen. »Und noch was: Hast du die Kohle für die Medaille gekriegt? Wir wollten doch halbe-halbe machen!«

»Oh Mann!« Frederick klang zerknirscht. »Der Typ hat mich übers Ohr gehauen!« Frederick zog eine Packung Zigaretten aus der Hemdtasche.

Seine Hand zitterte, als er sich eine anzündete.

»Das gibt's doch nicht! Wie strohdoof bist du denn?« Der Mann mit der Kappe klatschte sich mit der flachen Hand an die Stirn.

Plötzlich raschelte es. Tim, Karl und Gaby drehten erschrocken die Köpfe zu Klößchen. Auf dem Boden kauernd packte er gerade einen seiner Schokoriegel aus.

Karl zog streng die Augenbrauen hoch und hielt den Zeigefinger an den Mund.

Klößchen zuckte unschuldig mit den Schultern und formte mit den Lippen das Wort »Nervennahrung«. Dann steckte er die Schokolade in den Mund.

»Was war das? Habt ihr das gehört?« Der große Mann nahm seine Kappe vom Kopf und lauschte .

»Irgendwas hat geraschelt.« Der Große kam langsam auf die Mülltonnen zu. »Ich hab es ganz deutlich gehört.«

»Ach, das waren bestimmt die Ratten. Die sind überall«, hörten sie den Goldzahn-Mann sagen. »Pass auf, dass dir keine in die Nase beißt, wenn du nachguckst.«

Klößchen fasste sich an die Nase und sah seine Freunde ängstlich an. Er traute sich nicht, zu kauen.

Schokolade tropfte aus seinem Mundwinkel auf sein T-Shirt.

TKKG klopften die Herzen bis zum Hals. Keiner rührte sich oder wagte es, zwischen den Mülltonnen hindurchzuspähen.

Die Schritte kamen immer näher.

Schwere Jungs

»Frederick?« Plötzlich steckte der Kellner, der TKKG vorhin in Empfang genommen hatte, seinen Kopf durch die Hintertür. »Bist du irgendwann mal fertig mit Rauchen? Der Chef fragt schon nach dir.«

»Ja ... ich ... komm sofort. Musste Vinnie was im Kühlhaus helfen!«, rief Frederick seinem Kollegen zu.

»Ah, du hast ja schon wieder Besuch. Ihr beiden wart doch schon letzte Woche da, oder?«

Karl konnte das Rasierwasser des Kellners riechen. Seine Nase begann zu kribbeln!

Der Große setzte sich die Kappe wieder auf den Kopf.

»Wir sehen uns nachher. An der üblichen Stelle«, sagte der andere.

»Besuch ist während der Arbeitszeit nicht erlaubt«, erklärte Fredericks Kollege.

»Die beiden wollten sowieso gerade gehen«, sagte Frederick.

»Gut.« Der Kellner ging zurück ins Haus, drehte sich aber auf der Türschwelle noch einmal um. »Noch was, Frederick, hast du hier irgendwo vier Kinder rumlaufen sehen? Ein Mädchen und drei Jungs, ungefähr elf Jahre alt.«

Alarmiert sahen die vier einander an.

Frederick zuckte mit den Schultern. »Nö, wieso?«

Das Jucken in Karls Nase wurde immer stärker. Er versuchte, sich zu konzentrieren. Bloß nicht niesen! Aus dem Augenwinkel sah er, wie Tim, Karl und Klößchen ihn panisch beobachteten.

»Ach, egal.« Der Kellner verschwand durch die Tür, die hinter ihm ins Schloss fiel.

HATSCHI! Genau in diesem Moment kam Karls Nieser! Durch den Rums der Tür hatten die Männer anscheinend nichts gehört. Die Detektive atmeten auf.

»Also, wo waren wir stehen geblieben?«, fragte der Dunkelhaarige.

»Der liebe Freddy will uns bei den Bullen verpfeifen«, sagte der Große.

»Ach ja? Dann wär das ehrbare Leben mit einem Schlag vorbei«, feixte der Kleine.

Frederick ließ die Schultern hängen. »Gut … Ihr habt gewonnen.«

»Na also!« Der große Mann zog seine Kappe tiefer in die Stirn.

Der Kleine näherte sich Frederick. »Dann sperr mal deine Lauscher auf. Du wirst uns noch mal so 'ne Liste besorgen. Heute nach Feierabend.«

»Und vielleicht wollen wir nächste Woche noch eine«, ergänzte der Mützenträger.

»Ihr seid solche Ratten«, zischte Frederick.

»Du warst auch mal eine«, konterte der Große.

»Und bist es immer noch«, lachte der andere. Dabei funkelte sein goldener Schneidezahn.

Ohne sich umzudrehen, verschwand Frederick durch die Tür ins Haus.

Die beiden anderen Gestalten verließen den Innenhof durch ein Tor zum Nachbarhaus.

Karl atmete erleichtert auf. »Puh, das war knapp!«

Klößchen traute sich nun endlich, die Schokolade in seinem Mund runterzuschlucken. »Das muss ich jetzt erst mal verdauen.«

Plötzlich raschelte es.

»Was war das?«, fragte Gaby erschrocken.

»Das da.« Tim zeigte grinsend zwischen die beiden Mülltonnen auf den Boden. Eine Ratte machte
sich an Klößchens Schokoladenpapier zu schaffen.

»Kommt, Leute, weg hier.« Karl lief Richtung Tür.

»Meint ihr, uns hat jemand gesehen?«

Eine halbe Stunde später schlug Gaby die Tür des
Schuppens hinter ihnen zu.

Es klopfte. Die vier zuckten zusammen.

Klößchen baute sich hinter der Tür auf. »Parole?«

»Warum Parole? Wir sind vollzählig!«, flüsterte
Tim.

»**SCHOKOLADENEIS!**«, flötete die Stimme von Frau Glockner durch die Tür.

Erleichtert riss Klößchen die Tür auf. »Die Parole geht immer!«

»Hallo, Frau Glockner!« Tim nahm Gabys Mutter ein Tablett mit Eisbechern ab.

»Danke, Mama!« Gaby gab ihr einen Kuss auf die Wange.

»Ich hab für eine Hochzeit heute Nachmittag zu viel Eis gemacht. Lasst es euch schmecken!« Frau Glockner (die einen Cateringservice hatte) winkte und verschwand.

Gaby stellte Oskar einen Napf mit Wasser hin. Der Hund begann sofort zu trinken.

»Woher hattest du denn vorhin eigentlich den Schokoriegel, Klößchen?«, fragte Gaby. »Ich dachte, dein Notvorrat war leer.«

»Das war der Notvorrat vom Notvorrat. Aus der Seitentasche meines Rucksacks. Hatte ich schon fast vergessen.« Klößchen nahm sich einen Eisbecher und tunkte die Waffel in das Schokoladeneis. »War auch schon mal geschmolzen und dann wieder hart geworden. Ihr habt also nichts verpasst.«

»Mann, darum geht es doch gar nicht.« Gaby nahm sich ebenfalls ein Eis. »Was, wenn die Typen uns wegen des blöden Schokopapiers entdeckt hätten? Dann hätten wir jetzt ein Problem.«

Oskar bellte.

Karl erschauderte. »Das stellen wir uns mal lieber nicht vor.«

»Ist ja nicht passiert.« Tim zog sein Notizbuch hervor. »Okay, was haben wir? Zwei komische Typen, die höchstwahrscheinlich keine weiße Weste haben.«

»Weiße Weste?« Klößchen sah an sich herunter. Auf seinem Pullover war ein Schokoladenfleck. »Hab ich auch nicht.«

»Damit ist gemeint, dass sie höchstwahrscheinlich kriminell sind«, erklärte Tim.

»Solange das aber nicht bewiesen ist, haben wir nur einen Verdacht!« Gaby setzte sich auf die Stuhllehne. »Würde mein Vater jetzt sagen.«

Tim schnappte sich die Waffel aus seinem Eisbecher. »Richtig. Wir müssen es beweisen. Was wissen wir noch?«

»Die Typen wollen eine Liste von diesem Frederick«, sagte Klößchen.

»Den sie anscheinend von früher kennen«, ergänzte Karl. »Sie haben doch darüber gesprochen, dass er früher einer von ihnen war und gesessen hat. Und dass er ein schwerer Junge war.«

Klößchen brach herzhaft ein Stück von der Waffel ab und steckte sie gleich wieder ins Eis. »Ein schwerer Junge bin ich auch.«

Tim, Gaby und Karl mussten lachen.

»Na ja, ein schwerer Junge, der mal gesessen hat ... Er war mal ein Gangster, Gauner, Ganove, der im Gefängnis war«, erklärte Gaby.

»Nicht schlecht, Gaby«, staunte Klößchen. »Woher weißt du das?«

Tim nickte. »Du kennst dich echt aus, Gaby.«

Gaby grinste. »Es hat eben Vorteile, wenn der Vater Kriminalkommissar ist. Tim, wusstest du, dass Frederick mal im Gefängnis war?«

Tim schüttelte den Kopf. »Lise hat irgendwann mal erzählt, dass ihr Bruder im Ausland ist. Ich dachte, er macht ein Austauschjahr oder so.«

Tim klappte sein Notizbuch auf und schrieb etwas hinein. »Und sein Chef weiß nichts von seiner kriminellen Vergangenheit.«

»Bestimmt will Frederick neu anfangen und hat es verschwiegen. Ist sicher nicht leicht, einen Job zu bekommen, wenn man mal Ganove war«, überlegte Karl.

»Also, ich fasse zusammen: Die zwei Männer sind Gangster und erpressen Frederick.« Klößchen hatte sein Eis fast aufgegessen. »Wenn er ihnen nicht diese komische Liste gibt, lassen sie ihn auffliegen – und er verliert seine Arbeit.«

Gaby nickte anerkennend. »Gut kombiniert.«

»Mit Schokoladeneis kann ich besonders gut denken.« Klößchen grinste.

Tim sprang auf. »Dann wissen wir ja, was wir heute Abend machen.«

»Was denn? Schokoladeneis essen?«, scherzte Klößchen.

Tim steckte sein Notizbuch in den Rucksack. »Wir finden raus, wann das Restaurant schließt, und folgen Frederick zum Treffpunkt.«

Karl recherchierte bereits auf seinem Handy. »Heute machen sie um 22 Uhr zu. Ganz schön spät, oder?« Karl sah in die Runde.

»Morgen ist doch Feiertag.« Klößchen stand auf.

»Gut, Klößchen und ich schleichen uns aus dem Internat.« Tim lief zur Tür. »Ich mache dann einen Abflug aus meinem Fenster«, beschloss Karl (der genau wie Gaby zwar im Internat zur Schule ging, aber zu Hause wohnte). »Wir treffen uns um fünf vor zehn an der Ecke Lilienchaussee und Lohsestraße.«

»Alles klar!« Gaby stand auf. »Meine Mutter ist nachher bestimmt noch bei der Hochzeit und mein Vater bei der Arbeit. Bis später!«

Knistern in der Nacht

»Zum Glück ist es nur der erste Stock«, flüsterte Klößchen. Er kletterte aus dem Fenster auf eine Strickleiter, um heimlich aus dem Adlernest (so hieß das Zimmer, das Tim und Klößchen sich im Internat teilten) zu gelangen. »Mist, Tim, das ist aber hoch!« Klößchen sah nach unten.

»Du schaffst das.« Tim hielt mit aller Kraft die Strickleiter fest. »Guck nicht nach unten und konzentriere dich. Ein Schritt nach dem anderen.«

»Alles klar. Ich versuch's«, flüsterte Klößchen und verschwand aus Tims Sichtweite.

Als der Zug nachließ, war Klößchen unten angekommen. Tim befestigte die Strickleiter mit mehreren Knoten an den Füßen des Kleiderschranks und kletterte hinterher. »Hoffen wir, dass wir nicht auffliegen«, flüsterte er Klößchen zu, als er von der letzten Sprosse der Strickleiter sprang.

»Oskar hat so laut gebellt, als ich losgefahren bin. Der wollte unbedingt mit«, berichtete Gaby, als sie am Treffpunkt angekommen waren.

Tim fischte ein Leckerli aus seiner Tasche und gab es Oskar. »Brav, Oskar, dass du auf uns aufpasst.«

Oskar wedelte mit dem Schwanz.

»Und bei dir, Karl?«, fragte Gaby. »Hat jemand was bemerkt?«

Karl schüttelte den Kopf. »Wie seid ihr denn aus dem Adlernest rausgekommen?«

»Mit der Strickleiter, die wir vorhin im Baumarkt gekauft haben«, erklärte Tim. »War ziemlich cool!«

»Nur Fliegen wäre schöner gewesen«, ergänzte Klößchen grinsend. »Tim hat auch ein Seil gekauft, aber das war mir zu wackelig.«

»Okay, dann mal los.« Mit seiner Taschenlampe in der Hand marschierte Tim vorweg.

Die vier Detektive versteckten sich hinter einem parkenden Auto. Sie sahen, wie die Kellner die letzten Gäste verabschiedeten.

Tim schaltete seine Taschenlampe aus.

Oskar knurrte. Gaby hielt die Hand vor den Mund. »Psst, Oskar, ab jetzt ist Bellen und Knurren verboten.«

Klößchen sah durch die Autoscheibe. »Er geht!«

Frederick lief die Treppen herunter und ging die Straße hinunter. Mit etwas Abstand schlichen sie hinterher.

»Der geht bestimmt zum Bürgerpark«, mutmaßte Karl.

Und tatsächlich. Wenige Minuten später betrat Frederick den Park.

»Uhhh, der Park bei Nacht ist ganz schön unheimlich«, jammerte Klößchen leise.

»Komm, wir sind doch alle zusammen.« Gaby nahm Klößchen an die Hand und zog ihn hinter sich her.

Tim deutete in die Dunkelheit. »Ich wette, er will zum Brunnen an der alten Linde.«

Auf leisen Sohlen (und Pfoten) folgten sie ihm. In der Nähe des Brunnens zog Tim die anderen hinter einen Busch.

Frederick stand im Schein der einzigen Laterne weit und breit.

»Mann, ist das dunkel hier!«, flüsterte Klößchen.

»Na, Freddy, hast du die Liste?« Aus dem Schatten trat ein großer Mann ins Licht. Der Mann mit der Kappe!

»Nein. Mein Chef hat sie anscheinend vorhin mit nach Hause genommen.« Frederick ließ die Schultern hängen.

»Das kannst du deiner Mutter erzählen!« Drohend ging der Mann auf Frederick zu.

Der hob abwehrend die Hände und machte einen Schritt zurück. »K-keine Sorge. Ich hab einen Plan. Morgen werde ich früher im Restaurant sein und dann schicke ich euch ein Foto davon.« Er machte noch einen Schritt und stieß gegen den zweiten Mann, den TKKG schon am Nachmittag im Hinterhof gesehen hatten. »Wenn nicht, statten wir dir eben einen Besuch ab. Und deinem Chef.«

»Ihr bekommt sie, keine Sorge!«, bekräftigte Frederick mit zitternder Stimme.

»Gut, dann haben wir ja morgen Abend zu tun«, sagte der Große und schob sich etwas in den Mund.

Ein leises Rascheln war zu hören.

Tim, Karl und Gaby blickten vorwurfsvoll zu Klößchen, aber der zeigte ihnen unschuldig seine leeren Hände.

Oskar knurrte. Gaby sah den Cockerspaniel streng an und hielt ihn am Halsband fest.

»Was war das?« Argwöhnisch sah sich der Goldzahn nach allen Seiten um.

»Ein hustendes Eichhörnchen?«, höhnte der Große.

TKKG hielten den Atem an.

»Ich würd jetzt gerne gehen«, sagte Frederick kleinlaut.

»Komm, wir hauen auch ab«, sagte der kleine Mann. »Und du, Freddy, schlaf mal schön, damit du morgen die richtige Liste fotografierst.«

»Und auch in Zukunft gut schlafen kannst!«, ergänzte der andere.

»Keine Sorge, ihr bekommt sie.« TKKG beobachteten, wie Frederick verschwand. Die beiden Männer entfernten sich in eine andere Richtung.

Erleichtert ließ Gaby Oskars Halsband los. Der Hund wetzte sofort davon.

»Oskar! Stopp!«, rief Tim ihm hinterher.

»Puh, das war ja schon wieder ganz schön knapp.« Klößchen seufzte. »Ich brauch jetzt echt ...«

»Schokoladenpapier«, rief Gaby. Sie zeigte auf Oskar, der mit Silberpapier im Maul auf sie zu kam.

»Das gibt es doch nicht. Wieder Schokopapier von deinem Vater, Klößchen!«, stellte Karl erstaunt fest.

»Tja, unsere Schokolade ist eben die beste!«, flötete Klößchen stolz. »Und dieses Mal habt ihr ja selber gesehen, dass ich es nicht war.«

»Stimmt. Dann ...«, Tim überlegte, »... warst du es letztes Mal vielleicht auch nicht.«

»Hab ich doch gesagt!« Klößchen verdrehte die Augen.

»Sondern der große Typ. Der isst eure Schokolade und verliert ständig das Papier«, schlussfolgerte Tim.

»Oder wirft es absichtlich weg und verschmutzt die Umwelt«, ärgerte sich Gaby.

Tim holte seine Taschenlampe aus der Hosentasche. »Wir müssen unbedingt noch ein Detektivtreffen abhalten.«

»Lasst uns das auf morgen früh verschieben. Heute passiert doch sowieso nichts mehr«, fand Gaby. »Außerdem sollten wir jetzt alle ganz schnell in unsere Betten, damit niemand bemerkt, dass wir uns so spät weggeschlichen haben.«

»Klößchen und ich sind ja zu zweit. Am besten, wir bringen zuerst Gaby nach Hause und dann dich, Karl«, schlug Tim vor, als sie wieder bei ihren Rädern angekommen waren.

»Los, du zuerst.« Tim zeigte auf die Strickleiter (die glücklicherweise immer noch aus dem Fenster hing, als sie etwas später am Internat ankamen – also hatte niemand ihr Verschwinden bemerkt).

»Puh, ob ich das schaffe?«

»Stell dir einfach vor, dass oben ganz viele Schokoriegel auf dich warten«, flüsterte Tim.

Wie ein Eichhörnchen kletterte Klößchen nach oben und verschwand im Adlernest. »Geht doch.« Als auch Tim oben angekommen war, zog er die Strickleiter ein.

»Da kommt wer!«, flüsterte Klößchen und warf sich auf sein Bett. Auch Tim war mit einem Hechtsprung unter der Decke.

Die Tür ging auf und der Direktor und Frau Schlemmer, die Klassenlehrerin, guckten ins Zimmer. Klößchen und Tim hielten den Atem an. Nach einigen Sekunden schloss sich die Tür wieder.

»Geschafft.« Klößchen beobachtete, wie Tim wieder aus seinem Bett stieg und sich zwei Schokoriegel aus seiner Vorratskiste nahm. »Willst du auch einen?«

Klößchen nickte erfreut. »Haben wir uns nach so viel Ermittlungsarbeit echt verdient.«

»Das ist Teil der Ermittlungen. Wir versetzen uns in die Rolle der Verbrecher, um sie besser durchschauen zu können.« Tim wickelte den Schokoriegel aus dem Papier und ließ es auf den Boden fallen.

Klößchen freute sich. »Das ist eine super Strategie, Tim.« Schnell tat er das Gleiche und steckte sich genüsslich den ganzen Schokoriegel in den Mund.

Tim biss ein Stück ab und rieb sich grübelnd die Schläfe.

Auf die Plätze ...

Am nächsten Morgen trafen sich die Detektive wieder im Schuppen. Tim, Klößchen, Gaby und Oskar waren bereits da, als es einmal lang, einmal kürzer und zweimal sehr kurz klopfte.

Klößchen sprang auf. »Parole?«

»TKKG«, rief Karl leise von außen.

»Falsch!«, antwortete Klößchen grinsend.

»Okay, dann **SCHOKOCROISSANT**«, war Karl nun zu hören.

Sofort riss Klößchen die Tür auf. Freudestrahlend nahm er die Tüte mit dem Gebäck entgegen. »Toll! Danke!«

»Die sind aber nicht alle für dich, Klößchen!« Karl setzte sich zu Tim und Gaby auf das Sofa. »Habt ihr auch so schlecht geschlafen?« Die beiden nickten.

»Lasst uns noch mal alles durchgehen«, schlug Karl vor. »Die Einbrüche fanden Freitag- und Samstagabend statt. Insgesamt sechs, drei pro Abend.

Immer zwischen acht und elf Uhr. Die Hausbesitzer wohnen alle in der Villengegend. Und sie waren zur Tatzeit nicht zu Hause. Dort kamen sie erst nach elf wieder an. Wo könnten sie also alle gewesen sein?«, fragte Karl.

»Ich ahne, was du sagen willst.« Tim nahm einen Schluck Wasser. »Aber lasst uns zusammenfassen: Frederick war selbst mal kriminell, wird jetzt erpresst von zwei Typen, die damit drohen, ihn bei seinem Chef zu verpfeifen. Die Typen sind wahrscheinlich auch bei meinem Judo-Trainer eingebrochen, der am fraglichen Abend im *Lilienhof* essen war. Das in Sven Winters Garten UND im Park von Oskar gefundene Schokoladenpapier und die Goldmedaille sind weitere Indizien. Nur wenn Frederick den beiden Männern eine Liste besorgt, halten sie dicht. Frederick will die Liste im Restaurant abfotografieren.«

»Ja, bestimmt die Gästeliste, oder?« Klößchen ließ sich auf den Sitzsack plumpsen. »Der Laden ist doch immer so lange im Voraus ausgebucht. Ich hab vorsichtshalber gerade im *Lilienhof* angerufen und einen Tisch für heute Abend reserviert.«

Karl dachte nach. »Aber wenn der Laden immer ausgebucht ist, wie hast du dann eine Reservierung bekommen?«

»Vielleicht, weil ich ihnen angeboten habe, dass sie einen Sonderpreis in der Schokoladenfabrik bekommen? Für den Schokobananen-Nachtisch.«

»Perfekt! Wenn's um Schokolade geht, kannst du wirklich einwandfrei denken!« Gaby knuffte Klößchen in die Seite.

»Für wen und warum hast du denn eigentlich reserviert?«, fragte Karl.

»Für Herrn und Frau Sauerlich.« Klößchen grinste triumphierend.

»Klößchen! Du bist genial!«, rief Tim. »Frederick wird den beiden Ganoven also ein Foto der Gästeliste schicken, auf der der Name deiner Eltern steht.«

Klößchen grinste verschwörerisch.

Karl war überrascht. »Krass, du willst riskieren, dass die bei euch einbrechen?«

»Jawoll. Und wer übernachtet heute bei mir?« Klößchen nahm sich ein Croissant.

»Etwa wir?« Karl griff ebenfalls in die Tüte.

»Genau! Und wenn sie kommen ...« Klößchen machte eine kunstvolle Pause. »... dann schnappt die Falle zu!« Damit biss Klößchen entschlossen in sein Croissant.

Als TKKG sich am Nachmittag vor der Villa Sauerlich wiedertrafen, hatten die Freunde Rucksäcke dabei.

Gaby hob Oskar aus dem Fahrradkorb.

»Hallo, Kinder! Na, das ist ja eine Überraschung!« Frau Sauerlich sprang von ihrer Gartenliege auf und strich Klößchen über den Kopf. »Na, Willi, schön, dass du da bist. Geht's dir gut, mein Schatz?«

Klößchen verdrehte die Augen und machte »**WUFF!**«.

Oskar knurrte.

Gaby streichelte ihn beruhigend. »Alles gut, Klößchen macht nur Spaß. Du bist hier der Superhund.«

»Darf man seinem kleinen Willi nicht mal hallo sagen?«, beschwerte sich Frau Sauerlich bei ihrem Sohn.

»Ja, aber er ist doch kein Cockerspaniel«, schaltete sich Herr Sauerlich ein. Er lag immer noch auf seiner Gartenliege und hatte den Kopf leicht angehoben.

Erst jetzt reagierte Frau Sauerlich auf Oskar. »Ach, und der liebe Oswald ist auch mit dabei.« Sie lächelte gequält. »Wie schön.«

Oskar knurrte erneut.

»Er heißt OsKAR«, erklärte Gaby freundlich.

Herr Sauerlich setzte sich seufzend auf. »Sagt mal, warum seid ihr bei dem Wetter denn gar nicht im Schwimmbad?«

»Ach, das wird überbewertet.« Klößchen zwinkerte seinen Freunden zu. »Wir würden gern ein bisschen hier im Garten rumhängen. Und Tim, Karl und Gaby können doch hier schlafen, oder?«

Herr Sauerlich legte sich wieder hin. »Na ja, ich hab heute endlich mal frei und ... wollte den Weg ausbessern.« Er zeigte auf einen Steinhaufen neben dem Gartenschuppen.

»Ach, das können wir auch noch nächstes Wochenende erledigen«, unterbrach Frau Sauerlich ihren Mann. »Lasst uns eine Grillparty machen! Ich habe zufällig alles für Gemüsespieße im Kühlschrank.«

»Hmm. Wenn du meinst.« Herr Sauerlich stand auf und verschwand im Gartenschuppen. »Und was ist mit Bratwurst?«

Das war Klößchens Einsatz! »Ich hab eine Überraschung«, verkündete er feierlich. »Ihr geht heute Abend essen: und zwar im *Lilienhof*.«

Herr Sauerlich zerrte einen riesigen Gasgrill aus dem Schuppen. »Wie? Der ist doch immer wochenlang im Voraus ausgebucht.«

»Ich hab denen gesagt, dass heute euer fünfzehnter Hochzeitstag ist.« Klößchen grinste. »Herzlichen Glückwunsch.«

»Von uns auch!«, sagte Gaby und die anderen beiden nickten.

Frau Sauerlich umarmte ihren Sohn. »Dass du dir das gemerkt hast.«

»Ihr habt einen Tisch auf der Terrasse«, sagte Klößchen stolz. »Und das Tollste: Es gibt Schokobananen.«

»Das klingt gut!« Herr Sauerlich schubste den rollbaren Grill wieder in den Schuppen.

»Ach, Papa?! Ich hab dem Chefkoch gesagt, dass du ihm vielleicht einen Sonderpreis machen könntest. Für die Schokobananen.«

»Keine schlechte Idee, mein Sohn.« Herr Sauerlich wuschelte Klößchen durchs Haar.

»**WUFF. WUFF!**«, bellte Oskar.

»Ich weiß nicht, Willi, ich sehe dich so selten«, sagte Frau Sauerlich.

»Ich bin ja morgen auch noch da. Und wir wollten sowieso einen Rohkostabend machen«, log Klößchen.

Gaby musste kichern.

»Na gut. Überredet, mein Schatz.« Frau Sauerlich lief zur Terrasse. »Ich mache mich nur schnell chick und bereite eine kleine Rohkostplatte für euch vor.«

TKKG nickten sich triumphierend zu.

Fertig ...

»Hier, Oskar!« Klößchen
warf einen Ball durch
den Garten. Oskar rann-
te hinterher.

Tim, Karl und Gaby kickten
weiter hinten auf ein Fußballtor.

»Los, Klößchen, mach mit!« Tim schoss einen
geschickten Pass zu Klößchen, der versuchte, den
Ball anzunehmen. Aber er trat daneben. »Mist!«

Klößchens Vater kam in einem weißen Hemd und
dunkelblauen Sakko aus dem Haus. »Immer weiter-
trainieren, mein Junge!« Herr Sauerlich spazierte
zu seinem Auto. »Dann macht mal keinen Quatsch,
Kinder.«

»Und passt bitte auf, dass Os...äh...kar nicht die
Teppichfransen anknabbert«, ergänzte Frau Sauerlich, die in einem geblümten Kleid und mit Hoch-
steckfrisur auf der Terrasse erschien.

Klößchen verdrehte die Augen. »Mama!«

»Ja, Frau Sauerlich. Ich passe auf.« Gaby nahm den Ball aus Oskars Schnauze und hielt ihn fest.

»Gut. Im Kühlschrank steht die Rohkostplatte.« Frau Sauerlich setzte sich auf den Beifahrersitz.

»Toll!«, sagte Gaby.

Tim nickte: »Und danke!«

»Sehr nett.« Karl lächelte und musste niesen.

»Im Vorratsraum im Keller gibt es auch noch mehr zu essen.« Herr Sauerlich stieg ebenfalls ein.

»Okay, lasst euch Zeit!« Klößchen winkte seinen Eltern.

Mit tiefem Brummen fuhr der Wagen aus der Auffahrt.

»Puh!«, machten alle vier Detektive gleichzeitig.

»Ja, meine Mutter ...«, seufzte Klößchen.

»Sie meint es ja nur gut«, beschwichtigte Karl und musste niesen. »Und dein Vater hat es mit dem Rasierwasser ziemlich gut gemeint.«

TKKG liefen an den großen Töpfen mit Olivenbäumchen vorbei bis zur Terrassentür.

»So, jetzt machen wir das Haus einbruchsicher«, beschloss Klößchen.

»Aber wenn es einbruchsicher ist, kann ja keiner einbrechen und dann war es das mit dem Zuschnappen der Falle«, wendete Karl ein.

»Wir müssen sie in eine Falle locken«, sagte Tim.

Klößchen schloss die Terrassentür. »Stimmt. Aber erst mal schließen wir alles ab.«

»Was ist mit eurer Alarmanlage?«, fragte Tim.

»Die funktioniert nicht«, seufzte Klößchen. »Nächste Woche soll wohl ein Elektriker kommen und sie reparieren.«

»Besser so. Die würde die Einbrecher ja nur abschrecken!« Gaby drückte auf einen Knopf neben der Terrassentür. Das Licht auf der Terrasse erlosch. »War das der Schalter für den Bewegungsmelder?«

Klößchen nickte. »So können sie unbeobachtet in unseren Keller einsteigen.«

»Machen wir es den Typen damit nicht zu leicht?«, überlegte Karl.

»Das Einsteigen wird leicht, aber dann gibt's kein Entkommen mehr«, scherzte Tim. Er begann, seinen Rucksack auszupacken. Zum Vorschein kamen Klebeband, eine Taschenlampe, eine Strickleiter und ein eingerolltes Seil.

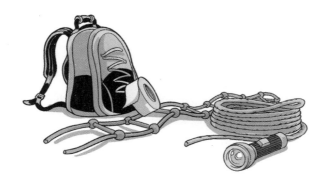

»Wow, wozu brauchen wir das alles?« Karl wickelte das Seil aus. »Als Lasso?«

In diesem Moment sah Gaby, dass Oskar an den Teppichfransen des Perserteppichs herumnagte. »Oskar! Kommst du da weg! Lass das!«

Winselnd verkroch sich der Hund hinter dem Sofa.

Klößchen sah sich den Schaden genauer an. »Oh, oh ... Das gibt Ärger!«

Das Telefon klingelte. »Bestimmt sind das meine Eltern.« Gerade wollte Klößchen den Hörer abnehmen, da hielt Tim seine Hand fest. »Nicht!«

Es klingelte noch dreimal, dann hörte es wieder auf. Der Anrufbeantworter sprang an, aber der Anrufer legte auf.

»Was war das jetzt?«, fragte Klößchen irritiert.

»Die Gangster überprüfen wahrscheinlich, ob auch wirklich niemand zu Hause ist«, erklärte Tim.

»Oh nee, irgendwie wird es jetzt doch unheimlich.« Klößchen ging zum Wohnzimmerschrank und holte einige Schokoriegel heraus.

Da klingelte das Telefon erneut. Vor Schreck fiel Klößchen das Schokoladenpapier aus der Hand. »Nur fürs Notizbuch: Dieses Mal war ich das.« Klößchen stopfte sich gleich einen halben Riegel in den Mund.

TKKG starrten auf das Telefon.

Wieder verstummte es nach einigen Malen.

»Ist das nicht doch eine Nummer zu groß für uns? Vielleicht sollten wir deinen Vater anrufen, Gaby.«

»Ach Quatsch. Wir sind Profis«, sagte Karl.

»Wir haben rausgefunden, wer die Typen sind, und jetzt überführen wir sie.« Gaby sah entschlossen in die Runde. Tim und Karl hielten den Daumen hoch.

»Außerdem haben wir keine handfesten Beweise, nur einen Verdacht«, ergänzte Gaby.

»Das Schokoladenpapier«, warf Klößchen ein.

»Na ja, ich weiß nicht, ob das als Beweis zählt. Das Papier, das Oskar bei Sven Winter gefunden hat, haben wir weggeworfen.« Tim ging zum Fenster.

»Ja, weil ihr mir nicht geglaubt habt«, brummte Klößchen vorwurfsvoll.

Tim zeigte in den Garten. »Das Fußballtor!«

Klößchen hob das heruntergefallene Schokoladenpapier auf. »Was soll damit sein? Ich werde trainieren und irgendwann treffen. Wenn ich endlich Ballgefühl habe und nicht nur Schokoladengefühl.«

»Wir könnten das Netz abmachen und so befestigen, dass die Einbrecher da rein laufen«, Tim überlegte, »falls sie kommen.«

»Gute Idee.« Klößchen öffnete die Terrassentür und huschte mit Tim in den Garten. »Mit dem Seil fesseln wir sie dann.«

Zusammen fädelten sie das Netz aus dem Rahmen und liefen wieder ins Haus.

»Gut. Wo befestigen wir das am besten?« Karl ging in den Flur. Die anderen folgten ihm.

Klößchen überlegte. »Sie steigen über den Keller ein und kommen dann nach oben. Also am besten an der Kellertreppe.«

»Das ist gut.« Tim hielt das Netz vor den Türrahmen der Kellertür. »Wir müssen es so befestigen, dass die Einbrecher nicht durchkommen.«

»Ich hole schnell Werkzeug.« Klößchen verschwand im Flur und wühlte in einem Schrank. Er kam mit einem großen Werkzeugkasten zurück.

»Gut ausgerüstet«, staunte Tim. Er holte Nägel, einen Hammer und einen Bindfaden heraus. »Ist es okay, wenn ein paar Löcher in die Wand kommen?«

»Lieber nicht.« Klößchen hob die gerahmten Bilder, die im Kelleraufgang an der Wand hingen, herunter. »Guck mal, nimm doch die Nägel.«

»Ja, das geht.« Tim begann, den Bindfaden am

Netzrand durch die Löcher zu ziehen. Karl und Gaby halfen ihm dabei, es anschließend an beiden Seiten des Türrahmens zu befestigen.

»Das Netz bleibt ziemlich lose. Wenn die Typen hineinlaufen, ziehen wir an dieser Kordel, dann fällt es auf sie drauf.« Tim hielt das Ende des Bindfadens in der Hand. »Und dann fesseln wir sie.«

»Woher kannst du das?«, wollte Gaby wissen.

»Pfadfindercamp. Da war ich vorletzten Sommer«, erklärte Tim. »Ich kann auch Rattenfallen bauen.«

»Wie passend«, stellte Karl lachend fest. »Egal …
am besten, teilen wir uns auf. Wenn sie drin sind,
muss von außen jemand den Keller dichtmachen.
Und wir warten hier oben am Netz, um sie damit
einzufangen.« Karl strich sich über den Rand seiner
Brille (das bedeutete, dass er scharf nachdachte).

Im selben Moment klingelte wieder das Telefon.

»Die kommen bestimmt bald.« Tim sah in die
Runde. »Wer geht raus?«

»Ich könnte das übernehmen«, schlug Gaby vor.

»Ich bin dabei«, entschied Karl.

»Oskar? Kannst du bitte nicht mehr beleidigt
sein?«, rief Gaby ins Wohnzimmer. Ein leises Win-
seln war zu hören. Dann kam der Cockerspaniel um
die Ecke geschwänzelt. »Du musst jetzt ganz ruhig
sein!«

Oskar knurrte.

»Noch leiser.«

Oskar legte den Kopf schräg.

Gaby grinste. »Perfekt!«

»Da draußen ist ein Lichtschein zu sehen«, flüsterte Klößchen aufgeregt. »Ich glaube, sie kommen.«

»Jetzt geht es los«, flüsterte Tim.

»Mach das Licht aus«, raunte Karl Klößchen zu.

»Was? Dann sehen wir doch gar nichts.« Klößchen wurde blass.

»Aber sonst können die uns sehen.« Gaby sprang
auf und knipste das Licht aus.

»Jetzt ist es aber ganz schön dunkel«, flüsterte
Klößchen. »Hoffentlich geht das alles gut.«

Im selben Moment hörten TKKG ein Geräusch.

Dann klirrte ein Fenster.

Die vier Detektive hielten den Atem an.

Los!

»Leichtsinnig, diese Sauerlichs! Keine Alarmanlage, kein Bewegungsmelder«, hallte die (den Detektiven mittlerweile bekannte) Stimme des dunkelhaarigen kleinen Mannes über die Kellertreppe nach oben. »Hier steht überall Schokolade rum. Du durchsuchst weiter den Keller, ich schaue mich oben im Erdgeschoss um.«

»Gaby! Karl! Jetzt müsst ihr den Keller dichtmachen«, wisperte Tim.

Gaby nickte. »Und ich rufe meinen Vater an.«

Auf leisen Sohlen schlich Gaby, gefolgt von Karl und Oskar, über den dicken Perserteppich zur Tür.

Da! Waren das Schritte auf der Kellertreppe?

Tim baute sich hinter der Kellertür auf und lugte durch den offenen Türspalt.

»Oh nein«, flüsterte Klößchen, der hinter ihm stand.

»Ist da wer?« Die Schritte waren jetzt ganz nah.

Anscheinend war der Einbrecher oben angelangt. »Huch, was ist das?« Er schaltete eine Taschenlampe an und entdeckte das Netz. In diesem Moment sprang Tim hinter der Tür hervor und zog an der Kordel. Das Netz löste sich aus den Haken und fiel über den Mann. Er ruderte überrascht mit den Armen. »Was zum Teuf...?«

Tim stürzte sich auf ihn und packte das Netz. »Los, Klößchen, das Seil!«

»Ey, ihr Piepmäuse, was wollt ihr denn?«, schrie der dunkelhaarige Einbrecher und versuchte, das Netz abzuschütteln.

»Piepmäuse?« Tim gelang es, den Einbrecher mit einem gekonnten Judo-Griff umzuwerfen. »Wohl eher Rattenfänger!« Tim setzte sich auf den Rücken des Mannes und hielt ihn mit aller Kraft fest.

Der Mann versuchte, sich zu wehren. »Nicht so frech, Bürschchen!«

Klößchen wollte mit dem daumendicken Seil die Beine des Einbrechers umwickeln. Doch der trat mit den Füßen so fest zu, dass Klößchen rückwärts umfiel. Geschickt rollte er sich ab und stand sofort wieder auf den Füßen.

»Super, Klößchen! Fast schon goldener-Gürtel-verdächtig!«, keuchte Tim. »Ich setze mich auf seine Beine! Das Seil muss richtig fest um die Füße!«

»Ey, Wolle! Hier sind verrückte Bälger! Komm sofort her!«, schrie der Mann Richtung Kellertreppe und strampelte und zappelte. Aber Tim saß schon auf seinen Beinen und Klößchen begann, das Seil darumzuwickeln.

»Wolle!«, brüllte der Mann wieder.

Plötzlich waren wieder Schritte auf der Kellertreppe zu hören. Klößchen machte einen Hechtsprung zur Kellertür und schloss sie ab. Im selben Moment wurde die Türklinke heruntergedrückt. »Mucki? Bist du da?«

»Wolle! Los, die Bälger fesseln mich!«, rief Mucki. Der drückte mehrmals auf die Türklinke und ruckelte an der verschlossenen Tür. »Mist!«

»Los, Papi, komm schnell!«, flüsterte Gaby in ihr Handy und legte dann auf. Mit Karl und Oskar versteckte sie sich hinter dem Gartenschuppen. Karl zeigte auf den Steinhaufen und die Schubkarre, mit denen Herr Sauerlich den Weg ausbessern wollte.

Schnell luden die beiden mehrere schwere Steine auf die Schubkarre und liefen damit zum Kellerfenster, durch das die Ganoven eingestiegen waren.

»Verdammt!«, hörten sie den großen blonden Mann flüstern. »Ich muss Mucki da rausholen!« Von oben sahen Gaby und Karl durch den Kellerschacht den Schatten des Einbrechers.

Mit vereinten Kräften schoben die beiden das Gitter zurück auf den Kellerschacht.

»Hey, was macht ihr da?« Der Mann packte das Gitter von innen und versuchte, es wieder zur Seite zu schieben. Karl und Gaby waren schneller und sprangen darauf.

»Geht sofort zur Seite, ihr Rotznasen!«, schimpfte der Mann.

Oskar kläffte und knurrte jetzt, was das Zeug hielt.

»Sie haben uns überhaupt nichts zu sagen!«, konterte Gaby. Sie merkte, wie der Mann unter ihr an dem Gitter ruckelte. »Los, jetzt die Steine!« Gemeinsam luden sie die Steinladung auf das Gitter.

Der Mann drückte weiter gegen das Gitter, das sich ein wenig bewegte.

»Mist, das reicht noch nicht!«, rief Gaby.

»Ich hole neue Steine.« Karl lief los und das Gitter bewegte sich.

»Euch Zwerge kann man ja locker wegschieben«, lachte der Einbrecher.

»Mist, beeil dich doch!«, schrie Gaby Karl hinterher. Mit beiden Beinen stellte sie sich auf das Gitter, aber der Einbrecher presste mit aller Kraft von unten dagegen.

Oskar kläffte.

In diesem Moment bogen Tim und Klößchen um die Ecke.

»Tim! Hilf Karl! Klößchen! Stell dich auf das Gitter! Sofort!«, keuchte Gaby.

Mit einem Hops war Klößchen neben Gaby auf dem Gitter. »Klar, nur ein schwerer Junge wie ich kommt mit einem schweren Jungen klar!«

Jetzt kamen Tim und Karl mit einer neuen Ladung Steine. Gaby sprang zur Seite und zog Klößchen mit sich. Blitzschnell luden sie die Steine auf das Gitter, bis es ganz bedeckt war.

»Ihr frechen Rotzlöffel«, schimpfte der Mann von unten, aber seine Stimme klang nur dumpf durch den Steinhaufen.

»Na wartet, wenn Mucki kommt, geht's ans Eingemachte!«, schimpfte er weiter.

»Aber Mucki wird nicht kommen!«, rief Klößchen nach unten.

»Wo ist denn dieser Mucki?«, wollte Karl wissen.

»Liegt verschnürt im Fußballnetz im Flur! Ein echter Volltreffer sozusagen!«, erklärte Klößchen stolz. »Und die Kellertür ist zu. Abgeschlossen.« Klößchen zeigte auf den verrammelten Kellerschacht. »Der Typ sitzt also in der Falle.«

»Langsam müsste Papi aber auch mal kommen.« Gaby blickte die Straße herunter, aber es war kein Polizeiauto in Sicht.

»Ach, der kann sich ruhig Zeit lassen«, meinte Klößchen lässig.

Doch plötzlich schaute Klößchen verdutzt. Nur eine Sekunde später rannte er wie angestochen los. »Nein! Halt! Der muss sich irgendwie befreit haben. Der haut mit der Schmuckdose meiner Oma ab!«

Auch Tim, Karl und Gaby rasten hinterher...

III

Eine Polizeisirene ertönte und der Streifenwagen bog in die Einfahrt ein, gefolgt von Kommissar Glockners Wagen. Aus dem Streifenwagen sprangen drei uniformierte Polizisten. Sie stürmten auf den Einbrecher zu und legten ihm Handschellen an.

»Papi! Endlich! Der andere ist im Keller.« Kommissar Glockner und einer der Polizisten zogen nun den Mann aus dem Kellerschacht. Glockner legte ihm Handschellen an.

»Wie konnte der nur flüchten? Wir hatten ihn doch so fest eingeschnürt«, staunte Tim.

»Schon mal was von Taschenmessern gehört, du Zwerg?«, zeterte der Mann. Sein Komplize wurde ebenfalls ins Auto verfrachtet. »Bitte Platz nehmen, die Herren«, knurrte einer der Polizisten.

Klößchen nahm die Schmuckschatulle seiner Großmutter und öffnete sie. Dann ging er auf das Auto zu und holte einen Schokoriegel heraus. Langsam wickelte er das goldene Papier ab und biss genüsslich hinein. »Unverschämtheit, dass ihr meine Schokoriegel klauen wolltet, aber die kriegt nur, wer die Parole kennt«, grinste Klößchen und verteilte an jeden seiner Freunde einen Riegel.

Ziel erreicht

»Parole?« Plötzlich stand Kommissar Glockner neben ihnen. »Bestimmt TKKG!«

»Woher wissen Sie das?«, fragte Klößchen überrascht und hielt dem Kommissar einen Schokoriegel hin.

»Oh, danke! Das ist aber freundlich!« Glockner wickelte ihn aus. »Spürsinn, würde ich mal vermuten.«

Der Streifenwagen mit den beiden Einbrechern bog um die Ecke. Tim, Karl, Klößchen und Gaby sahen dem Wagen hinterher.

»Tja, das war's dann wohl für die ›Kellerassel-Bande‹«, sagte Glockner.

Gaby biss in ihren Riegel. »Du kennst die Typen?«

»Natürlich! Das sind Mucki Strassner und Wolle Grambeck, die Köpfe der Asseln. Sind schon lange auf Einbruchtour«, berichtete ihr Vater. »Immer mit wechselnden Helfern. Und immer steigen sie durch den Keller der Häuser ein.«

»Deshalb die ›Kellerassel-Bande‹ – verstehe.« Tim grinste. »Schöner Name.«

»Bisher konnten die Kerle nach jedem ihrer Raubzüge unerkannt entkommen. Es gab nicht die geringste Spur.« Glockner seufzte. »Nur einen von ihnen hat man irgendwann geschnappt – einen dritten Mann namens Frederick.«

»Dann war Frederick nur kurze Zeit ihr Helfer?«, fragte Karl.

»Ihr kennt Frederick?«, fragte der Kommissar überrascht.

»Ja.« Gaby sah ihren Vater aufgeregt an. »Er hat den beiden Einbrechern die Gästeliste aus dem *Lilienhof* besorgt.«

»Nicht schlecht!« Glockner biss in seinen Schokoriegel. »Früher war er Fluchtwagenfahrer für die Kellerasseln. Dafür saß er ein halbes Jahr im Gefängnis, ist dann aber auf Bewährung wieder rausgekommen.«

»Und wie seid ihr auf Frederick gekommen?«, erkundigte sich Gaby.

»Wir haben alle Leute, bei denen am letzten Wochenende eingebrochen wurde, vernommen. Alle waren im *Lilienhof* essen. Erst heute haben wir die letzte Aussage bekommen und dann hat sich der Kreis geschlossen. Frederick hat bei einem langen Verhör irgendwann ausgepackt.« Kommissar Glockner rollte mit den Augen. »Allerdings erst vor einer Stunde. Da waren die Asseln schon längst wieder unterwegs. Die Kollegen mussten jedes Haus überprüfen, dessen Besitzer heute Abend im *Lilienhof* waren. Und als dein Anruf kam, Gaby, war schon eine Streife auf dem Weg hierher, weil Sauerlichs ja auch auf der Reservierungsliste standen.«

»Frederick wurde also verhaftet?!«, fragte Gaby.

Glockner nickte.

»Muss er wieder ins Gefängnis?«, wollte Karl wissen.

»Bestimmt nicht so lange wie seine Kumpane, aber eine Weile schon. Schließlich hatte er ein Jahr Bewährung.« Glockner rollte das Silberpapier der Schokolade zu einer Kugel.

»Bewährung?«, fragte Klößchen.

»Er musste sich ›bewähren‹, das heißt zeigen, dass er keine krummen Dinger mehr dreht. Ein Jahr lang. Aber das ist ihm ja leider nicht gelungen.«

»Aber die beiden haben ihn erpresst!«, rief Tim empört.

»Ja, das können wir alle bezeugen«, bestätigte Karl.

Klößchen und Gaby nickten.

»Das könnt ihr morgen auf dem Revier zu Protokoll geben. Alles, was ihr wisst. Vielleicht bekommt er dann ja mildernde Umstände.« Mit der Papierkugel zielte Glockner auf einen leeren Tontopf.

»Papi!«, empörte sich Gaby. »Das muss aber in den Müll.«

Oskar wetzte los und brachte Gaby die Kugel.

»Hoffentlich bekomme ich bei meinen Eltern auch mildernde Umstände«, flüsterte Klößchen seinen Freuden zu. In diesem Moment kam das Auto der

Sauerlichs in die Einfahrt. Klößchens Eltern sprangen aufgeregt heraus.

Frau Sauerlich nahm ihren Sohn in den Arm und drückte ihn fest. »Willi! Alles in Ordnung bei euch?«

Klößchen befreite sich aus der Umarmung. »Ja, Mama. Uns geht's gut.«

»Na ja, die Teppichfransen ...«, begann Gaby kleinlaut. Oskar bellte.

»Die Kinder haben von der Polizei gesuchte Einbrecher gefangen«, unterbrach Kommissar Glockner Gaby.

»Das ist ja unglaublich!«, staunte Frau Sauerlich.

»Ja, auf frischer Tat ertappt. Deswegen hatten wir leider noch keine Zeit, die Rohkostplatte zu essen«, gab Klößchen zu.

»Ja, und die Teppichfransen ...«, nahm Gaby erneut Anlauf und wurde wieder unterbrochen.

»Die sind doch egal. Ich würde sagen: Pizza für alle!«, rief Herr Sauerlich.

Alle jubelten.

TKKG sind SUPER(HELDEN)

Die Sonne brannte, als TKKG am nächsten Vormittag auf ihren Rädern die Sporthalle erreichten.

»Dass eine Zeugenaussage so lange dauert, wusste ich gar nicht.« Klößchen wischte sich den Schweiß von der Stirn. »Ich fand das spannend.« Karl schob seine Brille nach oben. »Jedes kleine Detail ist wichtig.«

»Ich finde es übrigens richtig, dass wir Lise nicht verraten haben. Sie hat das ja alles nur gemacht, um ihrem Bruder zu helfen«, sagte Tim.

Gaby nickte. »Papi wird sich bestimmt dafür einsetzen, dass Frederick mildernde Umstände bekommt.«

»Was hat Lise denn gesagt?«, wollte Klößchen wissen.

»Nicht viel. Nur, dass sie auch gleich da ist.« Tim stellte sein Rad in den Fahrradständer. »Ich will noch trainieren und muss mich umziehen, okay?« Tim verschwand durch die Hallentür.

Gaby holte Oskar aus dem Fahrradkorb. »Du wartest hier und nachher gehen wir auf Libellensafari, okay?«

Oskar bellte schwanzwedelnd.

»Libellensafari?« Klößchen zog die Stirn kraus.

»Ja, am Baggersee!« Gaby grinste und Klößchen jubelte.

Als Tim in seinem weißen Judo-Anzug aus der Umkleide fegte, kam auch Lise gerade an.

»Hallo!«, begrüßte sie die Detektive. »Was gibt es denn Wichtiges?«

Tim sah Lise mitleidig an. »Dein Bruder —«

»Das geht euch wirklich nichts an!«, unterbrach Lise ihn. Sie senkte den Kopf.

»Wir haben mitbekommen, dass er erpresst wurde«, berichtete Gaby.

»Das ist alles so dumm gelaufen.« Lise setzte sich auf eine Treppenstufe und stützte den Kopf in die Hände. »Frederick hat früher mal Mist gebaut, ja, aber er wollte neu anfangen. Das ist nur leider gar nicht so leicht. Er hat sich nicht getraut, seinem neuen Chef die Wahrheit zu sagen, weil er so glücklich über den neuen Job war.«

»Wenn er Glück hat, bekommt er mildernde Umstände«, sagte Tim.

Lise seufzte. »Ich hatte Frederick von Svens Versteck in der Pralinenpackung erzählt. Er hat es bei seinen ehemaligen Kumpels ausgeplaudert. Die haben ihn nämlich unter Druck gesetzt. Und dann tat es ihm doch leid. Er hat behauptet, dass er einen Käufer dafür hat, damit sie die Medaille wieder rausrücken. Er wollte sie Sven heimlich zurückbringen. Das wusste ich aber nicht, und als ich sie in seinem Zimmer entdeckt habe, habe ich sie heimlich mitgenommen. Den Rest kennt ihr ja.«

»Du wolltest sie unbemerkt in die Trainerumkleide legen?«, fragte Tim. »Und Herr Jakob hat sie gefunden, bevor Sven sie finden konnte«, ergänzte Karl.

»Alles klar?« Sie hatten gar nicht gemerkt, dass Sven plötzlich hinter ihnen stand.

»Ist das Ihre Goldmedaille?« Gaby zeigte auf Svens Hände.

»Ja, ich konnte sie gerade bei der Polizei abholen«, erklärte der Trainer.

»Bestimmt, weil wir gestern Abend die Täter gefasst haben«, berichtete Klößchen stolz.

»Das hat mir Herr Glockner schon berichtet. Ich bin echt beeindruckt«, staunte Sven Winter. »Die Polizei verhört die Täter gerade und versucht herauszufinden, wo sie ihre Beute lagern.«

»Hoffentlich tauchen Ihre anderen Sachen auch wieder auf«, sagte Gaby.

»Wie habt ihr die Täter denn gefasst?«, wollte Winter wissen.

»Mit Spürsinn, Fußballnetz und dicken Steinen«, erklärte Klößchen und wickelte einen Schokoriegel aus.

»Und mit viel Schokolade!«, ergänzte Gaby lachend.

»Und: mit der richtigen Judo-Technik!«, ergänzte Tim.

Sven Winter lachte und hängte Tim die Goldmedaille seines Vaters um.

»Bist du bereit?«

»Wofür?«, fragte Tim.

»Für deine Prüfung.«

Tim strahlte. »Für den grünen Gürtel?«

Sven Winter nickte. Er wandte sich Klößchen, Karl und Gaby zu: »Und euch verleihe ich den Superheldengürtel. Euer Hund bekommt auch einen, weil er den Ring meiner Oma wiedergefunden hat«, erklärte er lachend.

»Super! Ich bin Schokoman!«, freute Klößchen sich.

»Es kann nur einen geben!«, lachte Karl. »Oskar, du bist Superhund!«

Oskar wedelte mit dem Schwanz.

»Und du bist der Held des Wissens und der Technik!«, meinte Gaby. »Ich würde übrigens sehr gern noch eine Judo-Probestunde machen.«

»Wenn du willst, kann ich deine Partnerin sein«, schlug Lise vor.

»Toll!«, freute sich Gaby.

»Und wann fahren wir zum Baggersee?«, drängelte Klößchen.

»Schokoman kann ja mit Oskar schon mal vorfliegen«, schlug Karl vor.

»Sollen Oskar und ich etwa allein auf Libellensafari gehen?« Klößchen dachte nach. »Ach nee. Schokoman hört jetzt auf seinen Bauch und begibt sich auf Schokokugeleis-Safari.«

TKKG – das sind Tim, Karl, Klößchen und Gaby. Die vier Detektive lösen gemeinsam jeden Fall mit viel Mut, Spürsinn und Witz. Sie scheuen kein Abenteuer und halten immer fest zusammen. Dabei darf Hund Oskar natürlich nicht fehlen.

978-3-440-16017-6

978-3-440-16018-3

kosmos.de

Tim, Karl, Klößchen & Gaby – Die Junior-Detektive ermitteln

978-3-440-16024-4

978-3-440-16025-1

Alle spannenden Abenteuer gibt's auch als Hörspiel:

978-3-8032-6300-1

978-3-8032-6301-8

978-3-8032-6301-8
Ab Sept. 2018

978-3-8032-6303-2
Ab Nov. 2018

tkkg-junior.de